神秘な
ロンドンめぐり

英国スピリチュアル & パワースポット食べ歩き！

木内麗子

ごあいさつ

本書を手にとっていただき、ありがとうございます！

ここ数年、テレビや雑誌でよく目にするようになった「パワースポットめぐり」。豊かな自然のエネルギーを育む土地を訪れ、体も心も浄化される人が多いとか。

そんな話を聞いたとき、「自然の多いイギリスにも、パワースポットってあるのかな？」と、イギリス在住の友人達に聞いてみました。すると「じゃあ、ロンドンやイギリスの不思議な場所を、いっしょに探訪してみようよ♪」とのお誘いが……

出かけてみると、「神秘な占い」で思いがけない気づきを得られたり、『ハリー・ポッター』や『指輪物語』を生み出したファンタジーの発祥地イギリスならではの「魔法の道具」と出会ったり、いにしえから続く「パワースポット」に癒やされたり、甘美な「アフタヌーンティー」にうっとりしたりと、事前に知識がなかった私でも、ワクワクドキドキ楽しめるアレコレが盛りだくさんでした！

本書では、そうした旅のアレコレをコミックで楽しく描いています。現地でたっぷり撮影した写真やアクセス用の地図、旅行者用のカンタン英会話フレーズも紹介しています。ページをめくりながら、知られざる神秘なロンドン、イギリスのパワースポットめぐりをいっしょに楽しんでいただけたらうれしいです。

では、不思議な世界のはじまりはじまり〜♪

もくじ

ごあいさつ……2

第1章＊ロンドンで魔法と占い体験

ティールームで未来占い……10
フォトアルバム……14
星から届く？　占星術ホロスコープ……16
フォトアルバム……20
魔法グッズや神秘グッズをお買い物……22
フォトアルバム……26
他にもオススメ！　魔法と神秘に出会える？ショップめぐり……28
カンタン英会話★占い編……30
地図……32
ひとくち英会話「カード」……34

第2章＊おいしい！不思議＆ファンタジーなとっておきスイーツ

不思議の国のアフタヌーンティー……36
フォトアルバム……40

幽閉されたメイドの焼き菓子？……42

フォトアルバム……46

聖泉を崇拝した街で焼き菓子三昧……48

フォトアルバム……52

他にもオススメ！ 不思議＆ファンタジーなスイーツめぐり……54

カンタン英会話★食事編……56

地図……58

ひとくち英会話「読心術？」……60

第3章＊異次元への入り口 パワースポットをめぐろう

イギリスのパワースポット・レイライン……62

伝説が残る聖地グラストンベリー・トア……64

フォトアルバム……72

神秘なグラストンベリーで魔術師アイテム発見？……74

フォトアルバム……78

カンタン英会話★観光編……80

地図……82

ひとくち英会話「小さな幻？」……84

第4章 * ロンドンで異空間を楽しみながら食を堪能♪

魅惑のミステリーの世界へ……86

フォトアルバム……90

ロンドン最古のパブでタイムスリップ？……92

フォトアルバム……96

神聖な教会の地下で旬のランチ……98

フォトアルバム……102

他にもオススメ！ タイムスリップエリア……104

カンタン英会話★パブ編……106

地図……108

ひとくち英会話「パブでは？」……110

第5章 * 英国南西部の古代神秘・謎の巨石パワースポットめぐり

聖なる祭壇？ 謎に包まれた巨石群……112

摩訶不思議なエイブベリー……116

フォトアルバム……120

中世の村にタイムスリップ……122

第6章＊自然の持つ力で心も体もヒーリング＠ロンドン

自然の英知？ フラワーレメディ……134
フォトアルバム……138
ハーブで心と体をキレイに……140
フォトアルバム……144
他にもオススメ！ 心も体も癒やされるとっておきスポット！……146
カンタン英会話★ショッピング編……148
地図……150
おみやげ図鑑……152
おわりに……154
あとがき……156

フォトアルバム……126
カンタン英会話★交通編……128
地図……130
ひとくち英会話「大自然で雄叫び」……132

こんな景色に
出会えるかな♪

わぁぁ

第1章

ロンドンで魔法と占い体験

取材に行ったフェアリーケーキ屋さんで
え?
そーだ
うちって最近占いもしてるのよ
ローズマリーって占いの先生が週1回来てお茶しながら占ってくれるの
へー
イギリスの占い師ってどんな感じの人なんだろう
興味あるけど
こわい人だったらどうしよう
ほんにゃ〜ら
ほにゃにゃ
ポワワワワ〜ン
んーでもせっかくだし
私やってみようかな…
お茶しながらってカジュアルそうだし
OK! 予約してみるね
当日
ハーイ!
Tea and TAROT on Tuesday
ROSEMARY

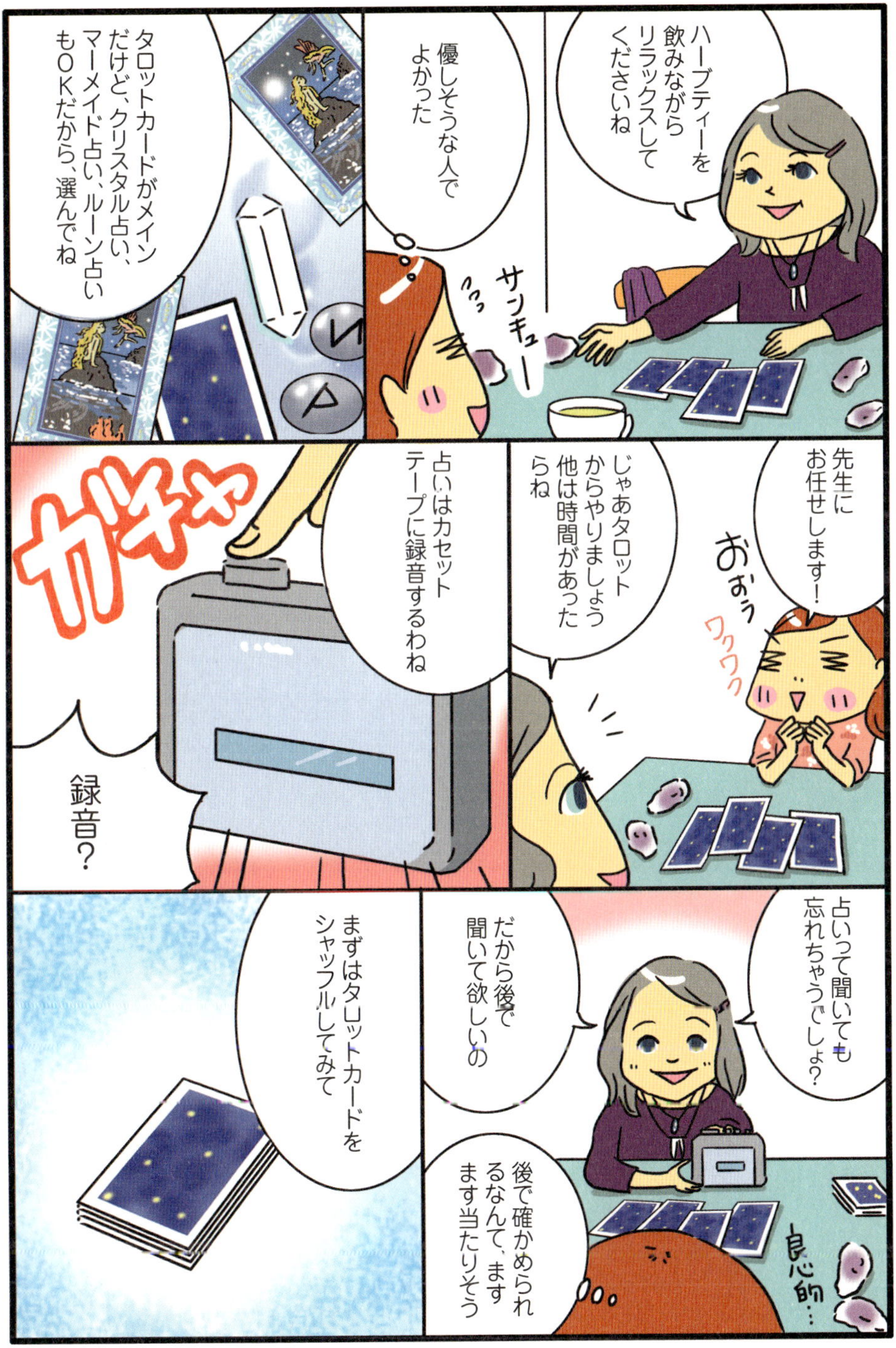
ハーブティーを飲みながらリラックスしてくださいね
サンキュー
優しそうな人でよかった
タロットカードがメインだけど、クリスタル占い、マーメイド占い、ルーン占いもOKだから、選んでね
先生にお任せします！
おおぅ
ワクワク
じゃあタロットからやりましょう他は時間があったらね
占いはカセットテープに録音するわね
ガチャ
録音？
占いって聞いても忘れちゃうでしょ？
だから後で聞いて欲しいの
後で確かめられるなんて、ますます当たりそう
良心的…
まずはタロットカードをシャッフルしてみて

オウ！スネーク状態ね

蛇の脱皮のように、これから転換期が訪れるってこと

さなぎから蝶へみたいなものよ

よいしょ よいしょ

変化のタイミングに乗り遅れないよう勇気を持ってね

スネーク？蛇？

あとね…スイートハート

スイートハート？私のこと？

このカードには、強力でステキな助っ人が現われって出てるわ

良く眠れてる？

ええ…まあ

じゃあいいのよちょっと気になってね

時差ぼけで疲れた顔してるから心配してくれたのかな

ローズマリー先生母っぽい気づかいも

このカードは…

え？ステキ？そこんとこ詳しく！

前のめり！

すいーっ

その人はいろんな人を知っている顔の広い人だから、あなたにもいろんな縁を運んできてくれるわよ

えーすごい…

イギリスでは、親しみを込めて、お客様をスイートハート、ダーリンと呼ぶことがあります。

その後も仕事、お金などいろいろ占ってくれた先生
どんどんフレンドリーなローズマリー先生
ペラペラ
先生が過去のこと話してくれるとほぼ当たってる
今回は特別にリクエストのあったマーメイド占いもやってみましょう
おう！ドルフィンとトレジャーチェスト！良いカードよ
ドルフィンってイルカ？
え？そうなの？
「イルカ」から「仕事で無理してないですか？」ってメッセージよ
えぇ〜？
フォーカスを忘れないようにって言ってるわ
イルカにまで心配＆忠告されてる私っていったい
そして最後にクリスタル占いまでしてくれたローズマリー先生
願いごとを心の中で唱えると…
あら！イエスって言ってるわ！
キャー嬉しい♪
私もとっても嬉しいわ！レイコがんばって！
家族のように喜んでくれるローズマリー先生
占い後はフェアリーケーキで甘美なひととき女子としてポジティブな気持ちになれた占いでした♪
どーだった？
ぽぇ〜
心もお腹も満たされた〜♡

THE CHELSEA TEAPOT
ザ・チェルシー・ティーポット

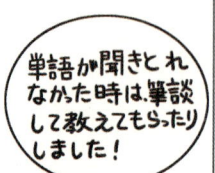

単語が聞きとれなかった時は、筆談して教えてもらったりしました！

ペンとノート持っていってよかった

とってもフレンドリーなローズマリー先生

ハーブティーのカップもレディ気分になれるカワイサ♥

キラキラしててとっても神秘的

パワーストーンに見守られて…

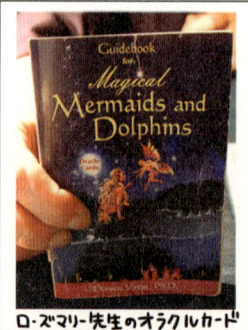

キューイッ

昔読んだ人魚姫に占ってもらってるみたい

ローズマリー先生のオラクルカード

マーメイド占いのカードはイラストがキレイ！

14

オリジナルのパステルカラー・フェアリーケーキがズラリ！

占い後は甘～いフェアリーケーキでうっとり

焼き菓子はじめ、サンドイッチやアフタヌーンティーなど、メニューも充実！

どれも欲しくなるティーカップ&ソーサー！

このままキッチンにかざりた～い♪

水玉とイチゴ♥

パステルカラーで統一された店内で、フェアリーケーキ（妖精のケーキ）が楽しめる、乙女の聖地的ティールーム。

32年の経験を持つベテラン・タロット占い師ローズマリー先生が、毎週火曜日にタロットを中心に占ってくれます。時間も15分、30分、1時間から選択可能。マーメイド占い、クリスタル占い、ルーン占いをしてもらいたい場合は、予約時に伝えておこう！気づかなかった運命を発見できるかも？

The Chelsea Teapot
ザ・チェルシー・ティーポット
住所 402 King's Road, Chelsea, London SW10 0LJ
http://thechelseateapot.com/

★ローズマリー先生は、ザ・チェルシー・ティーポットに毎週火曜日に来店。
15分18ポンド～。（要予約）
ローズマリー先生のサイトのURL
http://www.rosemaryreadstarot.com/

London 星から届く？占星術ホロスコープ

THE ASTROLOGY SHOP

西洋占星術が根づいているイギリスで人気の占星術専門店ジ・アストロジー・ショップ

占い好きのジャクリーンとやってきました

入リロからしてスゴイ

これなんだろう？

キレー♥ さわっていいのかな

星座別の誕生石のアクセサリーだって！

1500冊以上の占い専門書とグッズ!! どーん

店内は不思議なアイテムがいっぱい！

ホロスコープから自分の個性、人生のテーマ、その星の元に生まれた意味を読み解くんだよ

ここはコンピューターで自分のホロスコープを作ってくれるんだよ

ホロスコープ？

おもしろそう やってみたーい

ここに
名前と出生時間を
書いてくださいね
はーい
誕生日は分かるけど、
時間て…
?
?
はて？
確か朝早くって
いってたから…
そして15分後
あなたの
ホロスコープ
できましたよ
じゃ〜ん
これって本？
なんか
ペラっとした
紙かと…
ずし…
君、日本人って聞いたから…
え？
日本語版の
ホロスコープもあるの？

スゴく細かく
書かれてる…
Your Psychological type
心理
Character & Shadow
光と影
The Family Background
家族背景
35のテーマにそって書かれてる
君はこれから
大転換期に入るよ
さらっ…
え？
でも君はその前に
君を押さえつけている
もう一人の自分から
解放されるべきだよ
自分の意見を過小評価
しがちだけれど、とても
ユニークなものを
持っているんだから
大転換期には
図々しいくらい
自分らしさを
出した方が良いよ！
ローズマリー先生にも
転換期って言われたな…
意見を言う時
でしゃばり？とか心配し
てたけど、いろいろ発言
してみます
そうそう！
遠慮しないでね

お店にいろいろ面白いものがあるから見ていってね
ありがとうございます
あの吊るしてあるカラフルなオーナメントなんだろう？
すごいキレイな音
シャララ〜ン
シャララ〜ン
シャララ〜ン
シャララ〜ン
あれはウィンドーチャイムよ
ネガティブなエネルギーを遠ざけて部屋を美しい音色で浄化してくれるって言われてるのよ
昔は「羊が迷子にならないよう」に使っていたこともあって、人々が迷わず天にたどり着けるようにって意味が込められてるらしいよ
私の部屋も掃除できてなくて淀んでるから買おうかな？
キャー
それは掃除をするのが先だよ…
この丸い石は何？
ハリポタの世界みたい
THE PHILOSOPHICAL RUNES
北欧やケルトの儀式の時に使ったと言われてるルーンっていう占いグッズだよ
あれは？ あれは何？あの中身開けてみていいかな？
最初さわってもいい？って…
短時間でずいぶん図々しくなった気が…

THE ASTROLOGY SHOP
ジ・アストロロジー・ショップ

こちらがホロスコープ・ブック！英語の他に日本語版もあります♥

コバルトブルーの外観が神秘的！1989年に創立されたショップ

キラキラ～

シャララ～ン♪

思わず目をとじてしまうほど、キレイな音色

陽の光にあてると、ステンドグラスのような美しさになるオーナメント

2ポンド99で並んでたよ♥

星座別のアクセサリー♥ネックレスやブレスレットなど

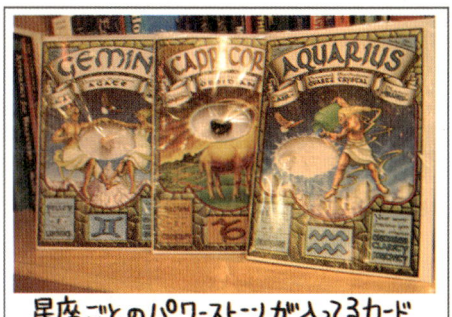

星座ごとのパワーストーンが入ってるカード

星座ごとに描かれたマグカップ

会社とか人が多い所でも、ひと目でマイマグってわかる！

天使からのメッセージ。エンジェル・カード

星の形になっているレインボーカラーのキャンドル！カワイイ〜

月のサイクルやアロマテラピーのチャート

珍しいルーン占いセットも発見!!

　ロンドンのコベントガーデンに佇む占星術専門店。占星術家のロバート・カリーによって1989年に設立。占星術専門店ならではの専門書籍、星座別のアクセサリーなどバラエティ豊かなアイテムが揃う。店内はショッピングの聖地なだけあり、観光客やロンドナーでいつも賑わっています。
　生まれたときの星の配置によって、個性や人生のテーマを読み解くホロスコープをコンピューターで作ってもらえます。

The Astrology Shop
ジ・アストロロジー・ショップ
住所 78 Neal Street, London WC2H 9PA
http://www.londonastrology.co.uk/

London
魔法グッズや神秘グッズをお買い物

エクスキューズミー
こ…これは何ですか？

魔法の杖だよ

魔法の杖!?

まゆポタの物欲の炎が

あら？
これは何？

それはパワーストーンですよ

パワーストーンは古くからお守りや魔除け、占いにも使われてて

持つ人のエネルギーを倍増させるとも言われているよ

特にアメジストやローズクオーツは「愛」を引き寄せると言われていて人気だよ

でも高くて買えな～い

愛を引き寄せる？

しかも
3ポンド！

安！
買おうかな

ボソ…

え？
今何て？

エビで鯛を釣る…

あれ？
チーさん石買うんスカ？
ギクッ
こっそり
これでチーさんの濁った人生も
クリアになりますね
もともと濁ってうんぬん
くわっ
まやポタ
一言多い…
見て！
オーラスプレーだって
Positive Flow
Soul Shield
Tester
ジェントル・スリープ
って書いてあるから、
寝付きやすくなるの
かもね
わあ
爽やかな
香りッス！
カモミール、セージ、
レモン、オレンジの
ブレンドだって
Gentle Sleep
Tester
でも私ベッドに
入ったら速攻
寝れちゃうから
いらないッス！
アハハ
ボソ…
そーでしょうね
アンタは…
負の影…
チーさん…

あれ？このセルティックって何ですか？

あらやだこれはケルトって読むのよ

これはケルトのオラクルカードと言ってメッセージが受け取れると言われてるよ

かわいいとうや無知って…

なんかイジワルキャラに…

あわわ

THE CELTIC WISDOM ORACLE

この棚って全部オラクルカード？すごい種類！

書籍もいろいろあるから、ゆっくり選んでね

本より装飾品の方が好き…

どーーん

せっかくだからパワーストーンを買っていこう♪

じゃらじゃら

何個買うんスか？欲深いっスね

なんですって！

はっ

13個選んじゃった！不吉じゃない？

あわわ

この2人おもしろい

1ポンドのもあったし♥

魔法の杖やケルトのオラクルカードが街に並んでいるなんて、ロンドンって不思議な所だなと改めて感じた日でした

25　オラクルカードとはメッセージを受け取るもの。天使や妖精から受け取るカードも人気です。

WATKINS BOOKS
ワトキンズ・ブックス

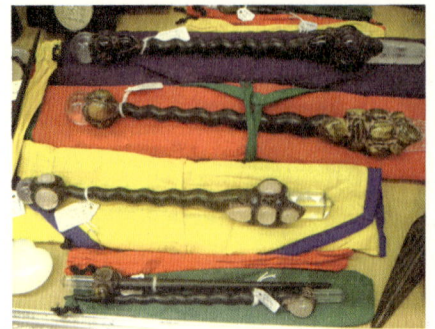

魔法の杖!! パワーストーンが埋めこまれてます!  / イギリス最古のスピリチュアル専門書店!!

パワーストーンは部屋にかざると場のエネルギーが高まるらしい… 
私はまず部屋のそうじから しないと

タタタ キラキラ

愛をひきよせるローズクオーツ

真実の愛を育てると言われるアメジスト

ケルト・ウィズダム・オラクルカード

動物からもスピリットガイドなるメッセージがもらえる! てんとう虫(レディバグ)もいました。クリスタルなど鉱石からも!

メッセージのひとつひとつがお辞書のひきでお勉強にもなる力!

カードの意味が書かれた冊子が入ってる。

26

ジェーン・オースティンのタロットカードも発見！

ミニミニタロットカードも！

神話、スピリチュアル、考古学など、バラエティ豊かな本がズラリ！本棚はずーーっと続いてます

人生がこの先...
ゴニョゴニョ
あれ？何かすごい大事なこと話してなーい？
店内奥（窓側）で占いもしてました！

アレコレ迷うほど、自然の恵みメディが並んでいます！

／植物のエッセンス＼ ／スペース用のスプレー＼

ロンドンの古本屋が軒を連ねるセシルコートに佇む「ワトキンズ・ブックス」。創業1893年の英国最古のスピリチュアル専門書店と言われています。専門書が並ぶ店内には、占いのアイテム、魔法の杖、パワーストーンなど、ユニークなアイテムがズラリ！　男性客も多く、店内は落ち着いた雰囲気。

WATKINS BOOKS
ワトキンズ・ブックス
住所 19-21 Cecil Court, London WC2N 4EZ
http://www.watkinsbooks.com/

他にもオススメ！魔法と神秘に出会える？ショップめぐり

TREADWELL'S
トレッドウェルズ

外観はオシャレなレストランのよう。しかしひとたび足を踏み入れれば、宗教や占星術、世界各国の伝説などの書籍がズラリと並ぶ、不思議な空間がひろがる。

店内奥には、魔法の杖、ピーウィッチング（魔法の道具）と書かれたハーブの石けんやバスソルト、お香、クリスタルなどレアなアイテムがいっぱい！

店内で占ってもらうことも可能。定期的に神秘のセミナーやイベントも開催されている。

神秘にまつわる専門書がズラリ！魔法グッズも並ぶ

ウィッシュ（願い）バッグなどおまじないグッズも並ぶ！

ここでも魔法のつえが並んでました！ ほぅ

TREADWELL'S
トレッドウェルズ
住所 33 Store Street, London WC1E 7BS
http://www.treadwells-london.com/

Atlantis Bookshop
アトランティス

おしゃれな店内に魔術専門の書籍が並ぶ。大英博物館に展示される魔法の道具の持ち主ジョン・ディー博士のコーナーも。

エリザベス女王1世の戴冠式の日を占星術で選んだジョン・ディー博士。

魔法のほうき？

魔術などの専門書がズラリ

大英博物館のほぼ前！なのでアクセスもしやすいよ！

Atlantis Bookshop
アトランティス
住所 49A Museum Street, London WC1A 1LY
http://www.theatlantisbookshopevents.com/

MYSTERIES
ミステリーズ

パワーストーン、キャンドル、アロマオイル、妖精アイテム、エンジェル、そして仏像まで、西洋と東洋の不思議なアイテムがずらりと並ぶ。店内2階では占いも可能。

すごくキラキラしてる！全体に

美しい音色が部屋を浄化すると言われるウィンドチャイムが響く店内

カラフルなレインボーカラーのキャンドルは圧巻！

ドリームキャッチャーも並ぶ

アロマオイルも充実

愛らしい妖精グッズ

良い夢が見れそう！

| MYSTERIES ミステリーズ | 住所 9-11 Monmouth Street, London WC2H 9DA
http://www.mysteries.co.uk/ |

カンタン英会話

占い編

占いをしてもらう時に使われる英会話フレーズです！使ってみてね♪

占いをお願いする時は

I'd like to have my fortune told.
運勢を占ってください

より具体的な運勢を占ってもらうなら

Please tell me about my health outlook.
健康運を占ってください

ポイント
my health outlookを金運や恋愛運に差し替えれば他の運勢も占ってもらえます。

- 金運　= my wealth outlook
- 恋愛運= my love outlook

30

タイミングを占ってもらうなら

When is the best timing for moving house?

引っ越すのに良いタイミングはいつ頃ですか？

!ポイント moving houseを「転職」などに差し替えれば
他のタイミングも占ってもらえます。

● 転職 ＝ changing job

☆Aquarius　　みずがめ座
☆Pisces　　　うお座
☆Aries　　　 おひつじ座
☆Taurus　　　おうし座
☆Gemini　　　ふたご座
☆Cancer　　　かに座
☆Leo　　　　 しし座
☆Virgo　　　 おとめ座
☆Libra　　　 てんびん座
☆Scorpio　　 さそり座
☆Sagittarius　いて座
☆Capricorn　 やぎ座

ロンドンでは雑誌や新聞に星占いが掲載されていたり、悩みを星占いで解決するラジオ番組があります♪

「What's your sign of the zodiac?（何座ですか？）」と聞くのも、話のネタになります♪

1章で紹介した場所の地図

THE CHELSEA TEAPOT
ザ・チェルシー・ティーポット

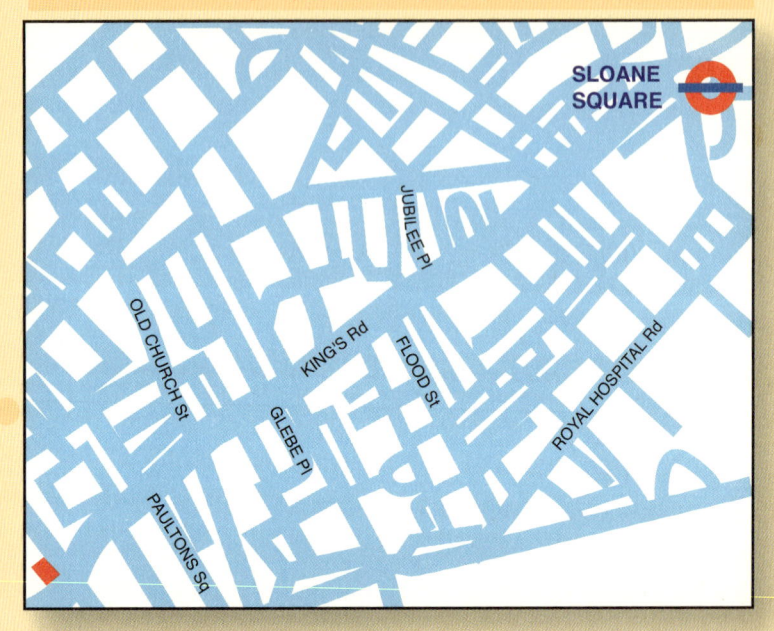

WATKINS BOOKS
ワトキンズ・ブックス

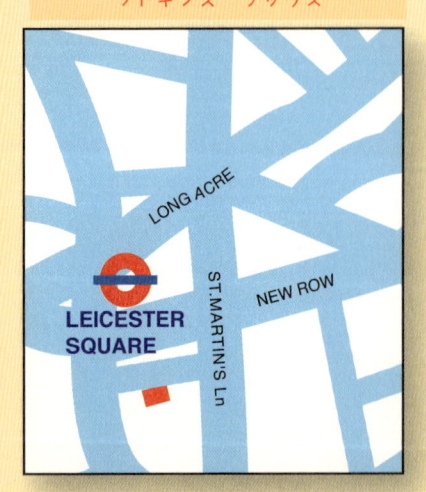

THE ASTROLOGY SHOP
ジ・アストロロジー・ショップ

青字で書かれた名前は最寄り駅名。
■はその場所です。

TREADWELL'S
トレッドウェルズ

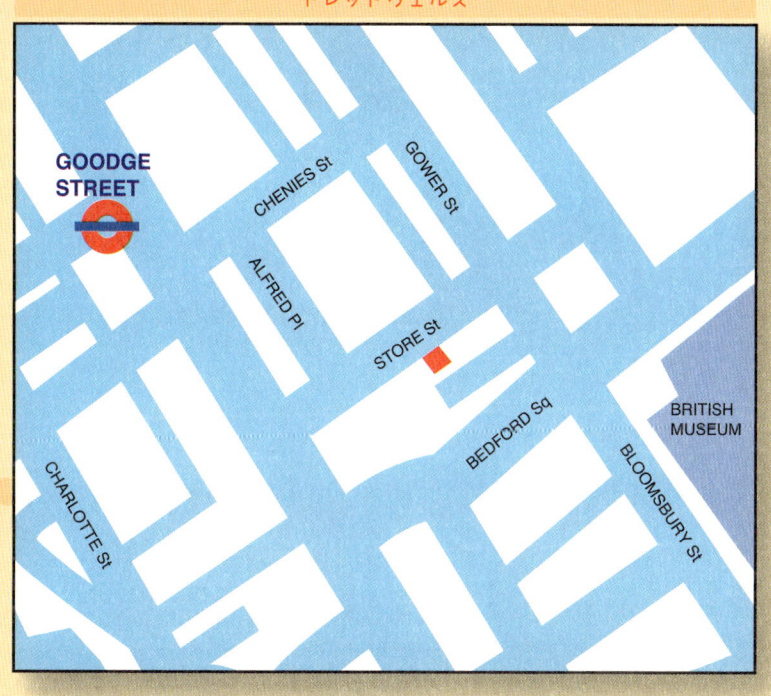

MYSTERIES
ミステリーズ

Atlantis Bookshop
アトランティス

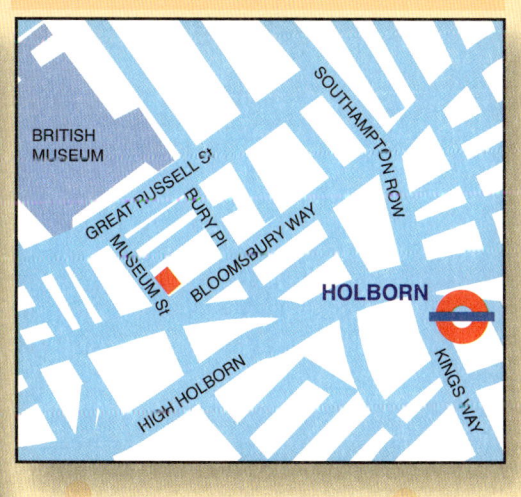

※本書の地図は、すべて2012年7月時点のものです。大まかな目安としてご活用下さい。

カード

このクリームぬるだけでスリムになるって！魔法みたい！

レイコ
I think it's not on the cards.

It's not on the cards?
カードにのってない？

怪しいよお〜

トランプ遊びしてるのかと思ったらカード占いしてるの？

イギリス人って小さなことでも占うのかな

I think it's not on the cards.は「ありえそうにない」の意味。このcardsはトランプ占いから来ていると言われています。占いと縁のあるフレーズです。

第2章

おいしい！不思議＆ファンタジーな とっておきスイーツ

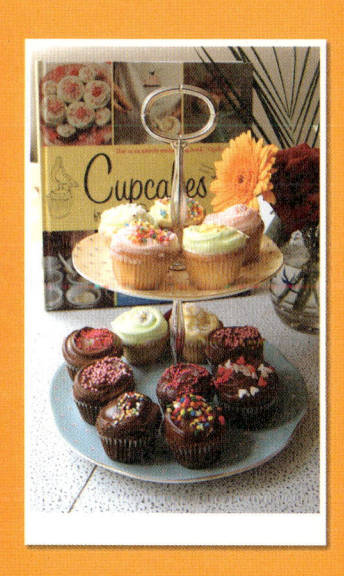

London
不思議の国のアフタヌーンティー

今回はイギリスのファンタジーを食せるアフタヌーンティーを2日続けてハシゴします

まずはサンダーソン・ホテル「不思議の国のアリス」に出てきたマッドハッターのティーパーティーが楽しめるアフタヌーンティーです

天窓キレイッ♡
中庭なんだね♡
大理石のテーブルよ♪

ここのお茶たくさんあって迷っちゃう！
私アールグレイティー
私フロージャスミンティー
私はカクテルを頼んじゃおう♪

お待たせしました
ティーポットが鉄瓶？
キャーおもしろ…♡
キャキャ♡

ホテルの人がチーさんを気遣ってるんスかね…
どーゆう意味？
あ、ほら、カクテルきたよ！
ステキ！やっぱり私にはこういうのがお似合いでしょ？

アフタヌーンティーとは、紅茶といっしょに軽食やお菓子を食べるイギリス発祥の喫茶習慣。社交の際に供されることでも有名です。

そしてこちらがマッドハッター・アフタヌーンティーでございます

どーん

サンドイッチレインボーカラーだ！カワイイ！

物語に出てくる体のサイズが変わるドリンクミーとイートミーだ！

このサンドイッチそとはふわふわして中はしっとりしてオイシーッス！

キャ

昔読んだおとぎ話の味が食べられるなんて…

ハートのクイーン♥女王のイートミー♥ストロベリークリームが絶妙♥

イヤーン♥

ドリンクミーはパッションフルーツとパンナコッタのゼリーになってるおいしい！

おいちー

キャ

アリスの世界っておいしすぎ

あ！

チーさんどうして人きい方ばっか取るんスか！

アリスの世界も弱肉強食なのよ！いちいちうるさいよ！

ズルー

この2人姉妹みたい

混乱に満ちたアリスの世界にちなんで、波乱に満ちたお茶会を過ごさせていただきました

翌日はランカスター・ロンドン・ホテルのピーター・パンアフタヌーンティーへ

ガサ…

あれ？これ何だろう

ステキ

細かくしたパンなんです
ピーター・パンはこのホテル前のケンジントン公園、乳母車から落ちて迷子になって冒険するんですよ

公園内にはピーター・パン像もあるので、後で行ってみてくださいね

途中公園内のサーペンタイン湖の鳥達にそのパンをあげてみてくださいね

おまたせしました

ですって！チーさん自分で食べちゃダメですよ

食べないわよ

38

わぁカワイイ!

ピーター・パンのクリームブリュレ

ピーター・パンのアフタヌーンティーです

ミセスダーリンクっていうこのスコーンサックサクでおいひ〜

ねー

ニパッ

ケーキもいろんな種類がある♪

トロピカルフルーツタルト甘くってうまい!

ピスタチオのマカロンもサックリ!

もうここに永住したいッス…

ほんと…

アリスやピーター・パンのように夢のようなひとときから現実に戻りたくなくなった3人でした

SANDERSON HOTEL
サンダーソン・ホテル

手のひらサイズの Drink me と Eat me

ホテルのエントランスには赤いリップが

レインボーカラーのサンドイッチ

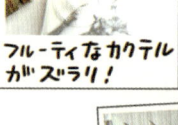

フルーティなカクテルがズラリ！

びっくりした鉄瓶ティーポット！

バーのイスにはミステリアスなヒトミが…

ヴィンテージのケーキスタンドで!!
アフタヌーンティー　うっとり〜

40

LANCASTER LONDON HOTEL
ランカスター・ロンドン・ホテル

ホテルから見えるケンジントン公園

ピーター・パン像のマップとパンセット

Mrs Darling's Scone は、ストロベリー、ラズベリージャム、クロテッドクリーム付♥

タルトやマカロンなどケーキも大充実

ピーター・パンアフタヌーンティー

Lancaster Lodon hotel
ランカスター・ロンドン・ホテル
住所 Lancaster Terrace, London W2 2TY
http://www.lancasterlondon.com/

Sanderson hotel
サンダーソン・ホテル
住所 50 Berners Street, London W1T 3NG
http://www.sandersonlondon.com/

　世界で愛され続けるイギリスのファンタジー『ピーター・パン』。ランカスター・ロンドン・ホテルで児童文学ピーター・パンの世界を味わった後は、ピーター・パン像で有名なケンジントン公園をめぐりましょう。

　ルイス・キャロルの小説『不思議の国のアリス』の「マッドハッターのお茶会（ティーパーティー）」。ビートルートやほうれん草を焼き込んだレインボーカラーのフィンガーサンドイッチなどなど、間違いなく乙女心をくすぐる、かわいい演出に目がハート♪

London
幽閉されたメイドの焼き菓子？

イギリスには16世紀においしいお菓子を作ったために

幽閉されてしまった宮廷女官の逸話があるとか

お菓子の名前はメイズ・オブ・オナー 国王ヘンリー8世はレシピが外に出ないよう命じ

秘伝レシピは鉄の箱に収められ、リッチモンド宮殿に保管されたというが…

なんとその秘伝レシピをかたくなに一族で守り続けるお店を発見しました！

ずいっ 門外不出だったのに

Henry VIII

オリジナルのメイズ・オブ・オナー専門店として300年の歴史を誇る老舗「Newens」

おおっ

絵本の世界みたい

メイズ・オブ・オナー(Maids of honor)＝待女、召使い

壁中がピンク!カワイイ!
ヘンリー8世の肖像画!
焼き菓子売り場が乙女ワールド!
昔ながらの牧歌的
レイコちゃん落ち着くッス
きゃわいい…
こうゆう中世な世界がツボなのね
えーと、紅茶3つとメイズ・オブ・オナー3つください
この時間はアフタヌーンティーもありますよ
じゃあそれも!
ちょっ!食べれるの?
そんなに
レイコちゃん…
ぽわわん
いいの食べます
いいのいいのいいの
紅茶とメイズ・オブ・オナーおまたせしました

銀のトレイにのせられて

メイズ・オブ・オナー

見た目シンプルッスね

なんかエッグタルトっぽい…

やっぱり中世だから?

いただきま…

パクッ

このシンプルさも好き?

レイコちゃんはしびれてる

何このしっとりしたとろ〜んとした食感はっ

す…

うまっ

え!? おてつき?

どーーん

サクサクのパスティの中にしっとりしたクリーム！今まで食べた焼き菓子の中でも一番好きな甘さ！

これは門外不出よ！

ヘンリー8世みたいになっちゃってる

ベタボレ

アフタヌーンティーお待たせしました

スコーンがプルーンとフルーツ2種類！

手作りって感じでぽってりしてカワイイ

こってりしたクロテッドクリームと甘いジャムとの相性もバッチリ

うみゃー

ここが混んでる理由が分かるわ

ケーキも手作りでしょ？エクレアやタルトも最高

どーして甘いもんってこんなに食べれるのかなー

別腹っすから！まだまだいけるっス

別腹ってまやポタの腹いっぱいあーすぎ

秘伝の焼き菓子はヘンリー8世の気持ちとシンクロするぐらいのおいしさでした

NEWENS
ニュウェンズ

絵本の世界のような店内は、焼き菓子の香りでいっぱい

ケーキは全て
ここで焼いたもの ♥

オリジナルのアフタヌーンティー

毎日通いたくなるメイズ・オブ・オナー

ここでしか味わえないタルト

外はカリカリのチョコレート・シュー・バン

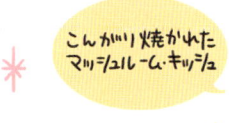

こんがり焼かれたマッシュルーム・キッシュ

パステルピンクの店内

静かな談笑が聞こえる店内

キューガーデン前にあるニュウェンズ

　門外不出の元祖メイズ・オブ・オナーのレシピを受け継ぐお店。絹の布を幾重にも重ねたようなパフペイストリーの壁の内側に、上品な甘さのクリームが…一口頬張れば、至福のひととき。
　このお店ではスコーンのレシピも秘伝とのこと。謎に包まれたイギリス伝統の焼き菓子を味わうなら是非ここへ。イギリスの高級磁器（ボーンチャイナ）、スポードのブルー＆ホワイトを使用しているところも笑顔になるポイントです♪

Newens
The Original Maids of Honour
ニュウェンズ
ザ・オリジナル・メイズ・オブ・オナー
住所 288 Kew Road Kew, Richmond Upon Thames TW9 3DU
http://www.theoriginalmaidsofhonour.co.uk/

Bath
聖泉を崇拝した街で焼き菓子三昧

今回はイギリスのコッツウォルズ地方の街バースにやってきました

ここは温泉が湧き出る世界遺産の街なんです

ジャグリーンと

おお！ここがローマ浴場

ここバースはお風呂Bathの語源にもなっているのよ

古代ローマ人はバースの天然のお湯を聖泉として崇拝したと言われていて治癒の女神ミネルヴァと女神スルを合わせた、スリス＝ミネルヴァと呼ばれる神殿も建てられたのよ

バースのお湯を飲めるカフェもあるんだよ

なんだか体に良さそうだね

あれ？このかわいいお店はなに？

サリー・ランズ？カフェかな？

530年前からここにカフェとして建ってるの？

日本室町時代なんですけど

ひぃ！！

Wow

ちょっと見て！築1482年？

The oldest house in Bath 1482
SALLY LUNN lived here 1680

早速店内に入ると

キャアアアア！かわいい！おとぎの世界に迷い込んだみたい！

ウェイトレスさんの衣装はメイド風

中世ヨーロッパの世界！

ここ2階は英文学作家のジェーン・オースティンがお茶したことでも有名みたいだよ

JANE AUSTEN ROOM

え？

Jane Austen

ジェーン・オースティンと言えば恋愛を書かせたらピカイチの作家さん！私大好きなの！嬉しい♪

乙女の恋愛ワールド

落ち着いてレイコ

はい　こちらが
名物サリー・ラン・バンズよ
ではさっそく
はむ
熱々で
おいしそう
キャー
大きい！
530年前に
こんなに
おいしそうな
ものがあった
なんて！
ふんわ
ふんわ
できたて〜
うんみゃあぁ〜

ホットケーキを
ふっくらさせた
やわらかさ〜♪
こってりバターと
トロトロに甘いジャムが
絶妙〜♪
天にも昇る
うまさ
おちついて
気に入ってくれた？
『クリスマス・キャロル』を
書いたチャールズ・
ディケンズもお気に入り
だったのよ
え
下に当時のキッチンを
展示したミュージアムが
あるから見ていってね
行ってみました
どーーーん
ぎょっ
地下キッチン
なんか
すごい迫力…
あの
メイドさん
人形!?
昔は暖炉が炊かれたこんな
場所で料理してたんだね
夏は大変だったろうに
マネキンのメイド
さん　美人なのに
疲れてるね…
やっぱり
すごいものを
つくる裏には
誰かの苦労が…
ほろり…
天にも昇るようなおいしさと、
地下で繰り広げられてた影の苦労
も味わえるユニークな最古カフェ
忘れられない思い出となりました

SALLY LUNN'S
サリー・ランズ

ハチミツ色に光輝く
バースの街で、赤と
白のこの外観！
とっても目をひきます！

カワイイ

1482年から続く、おとぎの世界のような
サリー・ランズのティールーム。

店名のサリー・ランは実際の人物！
ここに住んでいた証しのプレート

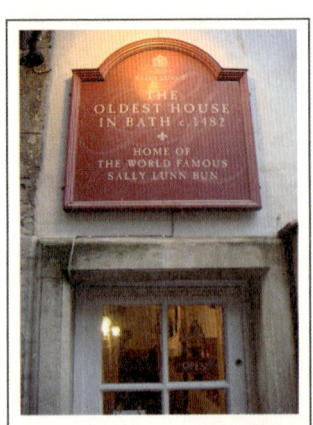

目印にもなっている赤い看板
には「バース最古」の文字！

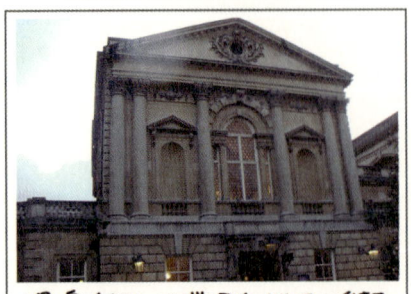

温泉街として栄えたバースの街

ティールームで楽しめます！

ふわふわのサリー・ラン・バンズ。クリームとジャムなど甘〜いものから、チーズやハムののった軽食ものまで、メニューもバラエティ豊富！

こちらの3つの写真はサリー・ランズの方に送っていただきました！

ありがとうございます！

そして、ギフト用お持ち帰りもあります！

バースで最も古いといわれるティールーム「サリー・ランズ」。ここの看板アイテムこそ、長年受け継がれている「サリー・ラン・バンズ」。ふわふわの食感と、品の良い甘さを持つ素朴な味にリピーター続出。チーズ、ハム、卵をのせた軽食風のセイボリー系、クリーム、マーマレード、ストロベリージャムなどのスイーツ系など、トッピング次第で楽しみ方はいろいろ。地下にはキッチン博物館があり、当時サリー・ラン・バンズが焼かれていたキッチンを見られます。

Sally Lunn's
サリー・ランズ
住所 Sally Lunn's House, 4 North Parade Passage Bath, BA1 1NX
http://www.sallylunns.co.uk/

他にもオススメ！不思議&ファンタジーなスイーツめぐり

PRIMROSE BAKERLY
プリムローズ・ベーカリー

妖精が食べる小ささのカップケーキ「フェアリーケーキ」の専門店。ローズやスミレの花のフレーバーから、フルーティーなものまで夢見心地なおいしさ。数々の高級レストランでペイストリー・シェフを務めたピー・ヴォー氏のティー・サロンで、甘美な世界に迷いこんでみませんか？

妖精(フェアリー)のスイーツってとこがカワイイ

パステルカラーと丸みのあるレトロな家具も魅力的！

プラム、キャロットやジンジャーなど、ここでしか味わえない！

PRIMROSE BAKERLY
プリムローズ・ベーカリー
住所 69 Gloucester Avenue, London NW1 8LD
http://www.primrosebakery.org.uk/

BEA'S OF BLOOMSBURY
ビーズ・オブ・ブルームズベリー

乙女心をくすぐるティー・サロン。淡い光を放つティーポットやカップが吊り下げられ、食器の一部に女性の足がかたどられているなど、夢見る乙女の愛らしさと危うさがミックスされたような、謎にみちたティールーム。

アートが薫る、甘～いティールーム

トレイの中心には、ヒールをはいたセクシーな足！？

まっくろな壁に舞う花々…まるで真夜中のティーパーティーみたい！

BEA'S OF BLOOMSBURY
ビーズ・オブ・ブルームズベリー
住所 83 Watling Street, London EC4M 9BX
http://www.beasofbloomsbury.com/

MELROSE & MORGAN
メルローズ＆モーガン

旬の食材をふんだんに使用したキッシュや惣菜はじめ、英国伝統のトライフルやチョコレート・ムース、スコーンをはじめとした焼き菓子も並ぶ。ピクニック用に持ち帰りも可能。そばにはプリムローズヒルという丘もあるので、自然の中で楽しんでみては？

味わい深い人気のバナナケーキ！
スコーンは、はずせない！
ベリーたっぷりのケーキに笑顔♡

素材にこだわったとっておきスイーツもオススメ！英国伝統の焼き菓子をぜひ！

MELROSE & MORGAN
メルローズ＆モーガン
住所 42 Gloucester Avenue, London NW1 8JD
http://www.melroseandmorgan.com/

SUCK & CHEW
サック＆チュー

昔懐かしいレトロな英国の駄菓子専門店。ノスタルジックな古き良きイギリスを舌で味わうならココへ！

ノスタルジックなイギリススイーツが大集合！

SUCK & CHEW
サック＆チュー
住所 130 Columbia Road, London E2 7RG
http://www.suckandchew.co.uk/

食事編

カンタン英会話

食事の時に使われる英会話フレーズです！使ってみてね♪

レストランを予約するなら

Could I book a table at 7pm for 2 people?
7時から2名予約したいのですが

> ポイント
> 時間と人数を白い部分に入れて聞けばOK！

予約無しにレストランに入った時は

A table for 2 please.
2名分の席をお願いします

> ポイント
> 予約無しにレストランに入った時、店の人に空席があるかこのフレーズで聞いてみて。

56

食事を注文するなら

Could I have cottage pie?
コテージパイを注文したいのですが

ポイント
- 料理名や飲み物名を上の白い部分に入れて注文すればOK。
- May I have…もよく使われるけど、Could I have …? はより礼儀正しい言い方なので、オススメ。
- cottage pie　コテージパイ
  ビーフをパイ生地で包みマッシュポテトをのせて焼くミートパイ

食事中に聞かれたら

Is everything all right?
大丈夫ですか？

Yes, everything is fine.
はい、大丈夫です

ポイント
レストランではサービスがチップにつながるので、担当の接客係が料理などに満足しているか聞きにきます。不満があれば「I ordered the chicken, not the steak.（ステーキではなくチキンを注文したんですが）」などと、具体的に伝えましょう。

お会計をお願いするなら

Could I have the bill please?
お会計お願いします

ポイント
チップがお会計に含まれていることも。
お店によります。

2章で紹介した場所の地図

LANCASTER LONDON HOTEL
ランカスター・ロンドン・ホテル

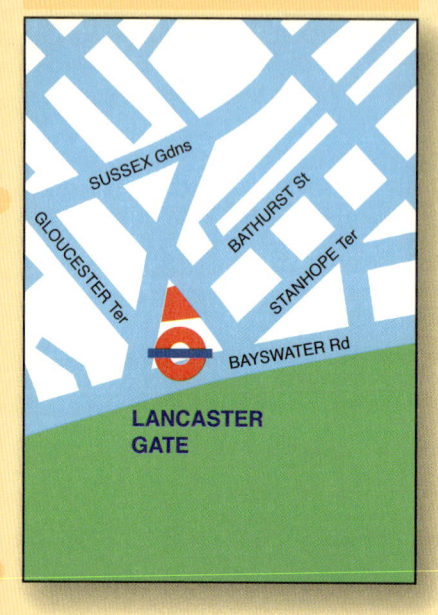

SUSSEX Gdns
GLOUCESTER Ter
BATHURST St
STANHOPE Ter
BAYSWATER Rd
LANCASTER GATE

SANDERSON HOTEL
サンダーソン・ホテル

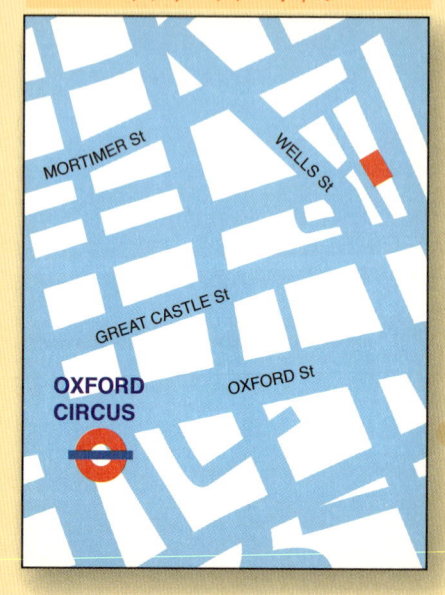

MORTIMER St
WELLS St
GREAT CASTLE St
OXFORD St
OXFORD CIRCUS

SALLY LUNN'S
サリー・ランズ

YORK St
NORTH PARADE PASSAGE
PIERREPONT St
≷ BATH SPA

NEWENS
ニュウェンズ

KEW Rd
KEW GARDENS Rd
CUMBERLAND Rd
BROOMFIELD Rd
LICHFIELD Rd
KEW GARDENS

青字で書かれた名前は最寄り駅名。
■はその場所です。
≷は、ナショナル・レール（National Rail）の記号です。

58

BEA'S OF BLOOMSBURY
ビーズ・オブ・ブルームズベリー

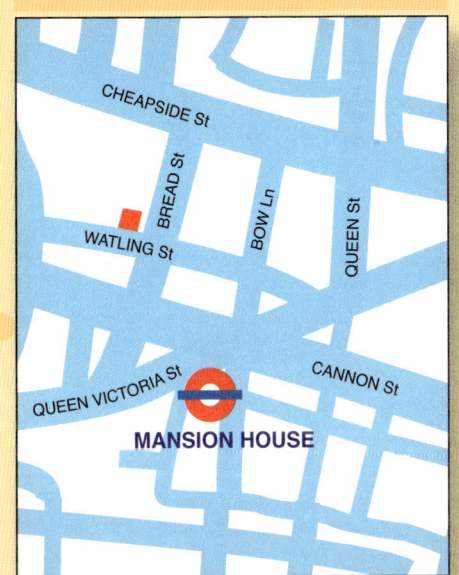

- CHEAPSIDE St
- BREAD St
- WATLING St
- BOW Ln
- QUEEN St
- QUEEN VICTORIA St
- CANNON St
- MANSION HOUSE

PRIMROSE BAKERLY
プリムローズ・ベーカリー

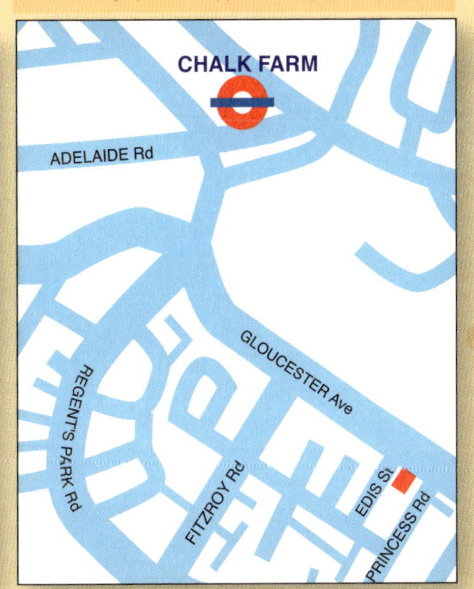

- CHALK FARM
- ADELAIDE Rd
- REGENT'S PARK Rd
- GLOUCESTER Ave
- FITZROY Rd
- EDIS St
- PRINCESS Rd

SUCK & CHEW
サック&チュー

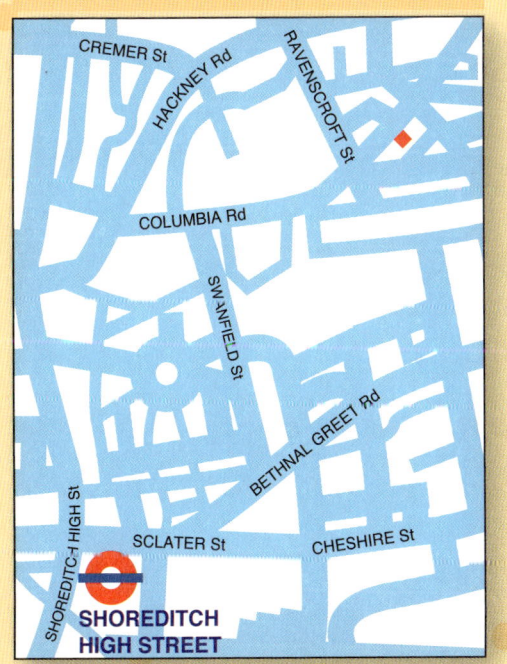

- CREMER St
- HACKNEY Rd
- RAVENSCROFT St
- COLUMBIA Rd
- SWANFIELD St
- BETHNAL GREEN Rd
- SCLATER St
- CHESHIRE St
- SHOREDITCH HIGH St
- SHOREDITCH HIGH STREET

MELROSE & MORGAN
メルローズ&モーガン

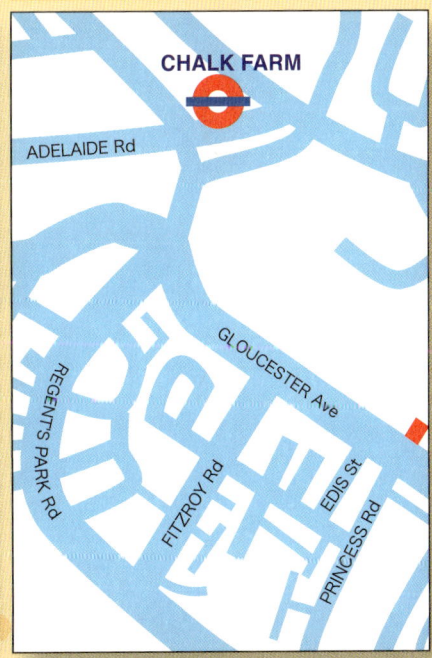

- CHALK FARM
- ADELAIDE Rd
- REGENT'S PARK Rd
- GLOUCESTER Ave
- FITZROY Rd
- EDIS St
- PRINCESS Rd

読心術?

うーんこのケーキ食べたいけど最近太ってきたから止めようかな

ヘルシーなフルーツ盛り合わせにしようかな

でも迷う〜やっぱりケーキ食べたいわぁ

キョロ キョロ

You can't have your cake and eat it, too.
ケーキを選んでも食べれないぞ

ハハ

あの人私がケーキ食べたいの何で分かったんだろう

だれ？

ハハハ

You can't have your cake and eat it, too.は「ケーキを持っていて、かつ食べることはできない」つまり「一挙両得は無理」という意味のフレーズ。

第3章

異次元への入り口
パワースポットをめぐろう

UK
イギリスのパワースポット・レイライン

今回の本の話をイギリス人の友人、ジュディにしたら…

じゃあレイラインも紹介するの?

レイラインって何?

レイラインはイギリスにある主要な教会、遺跡、ストーンサークルをつなげると浮かび上がってくるいくつかの直線のことを言うの

Ley Line

レイラインには大地のエネルギーが流れているって言われてるのよ

パワースポットじゃん

どの辺にレイラインは流れてるの?

いろいろあるけど、世界で有名なイギリス最大のレイラインは聖マイケルズ・ラインという直線で、イギリスを貫いているのよ

教会も無数にあって、そのほとんどが大天使ミカエルにささげられてるからこの名前なのよ

St Michael's line

The hurler's Stone Circle
Avebury Stone Circle
Bury St Edmund's Abbey
St. Michael's mount
London
Roche Rock
Glastonbury Tor
Stonehenge

わぁ…

ミカエル(Michael)=マイケル(Michael)

聖マイケルズ・ライン含め、他のレイラインの交差点になっているのがグラストンベリーという場所なの

グラストンベリーは古代人が崇拝した聖地として有名で、神話や伝説が残っているのよ

神話？伝説？

おもしろそう

紀元5世紀頃に生まれたアーサー王は知ってる？

アーサー王はグラストンベリーに埋葬されたとも伝えられてるのよ

映画みたことある

グラストンベリーにはグラストンベリー・トアと呼ばれる丘があって、頂上には14世紀に建てられた聖ミカエルを祭った教会が残っているの

グラストンベリー・トアは巡礼の聖地のひとつにもなっていて、異界への入り口とも呼ばれている神秘の場所なのよ

トアのふもとには聖水が湧き出るチャリスウェルズの井戸があって、キリストの最後の晩餐で使われた聖杯が沈められているとも言われているのよ

な…なにかすごい所なんだね

グラストンベリー行ってみたくなった？週末に行ってみる？

えぇ？して

こうしてイギリスで初パワースポットめぐりがはじまりました！

Somerset
伝説が残る聖地グラストンベリー・トア

そして週末
グラストンベリー到着！

グラストンベリー・トアに登ろうね！

不思議なお店がいっぱいある〜

お店は後で見て、先にグラストンベリー・トアに登ろう！

天気も良い

ミス（神話）＆マジック？

ワクワク

あ、そうだね

荷物になるし

地図持ってないけど丘ってどっちに行けばいいのかな

キョロキョロ

アハハ地図なんていらないよ 丘だから坂道を上ればそのうち着くよ！

行こ行こ

え？そんなアバウト？大丈夫かな…

とりあえず民家が並ぶ坂道を歩いていくことに

うわーキレイ
石の家♡カワイイ

途中から新緑が生い茂る森のような道になってきて…

そよそよ
ふわ〜
木のトンネル

そよ風が気持ち良いな〜

清々しい緑に囲まれてだんだんゆったりリラックスした気分に

ハイ！
ハイ！

地元の人ともあいさつ

犬…

レイコ！グラストンベリー・トアが見えてきたよ！

ぎょっ

遠っ！
丘ってか山…

良かった！道あってた

丘って聞いてたから、軽装&ハンドバッグで来ちゃったけど…
…
この格好で良いのだろうか…
不安…
ペラペラ
30分後
ガンバレレイコ
日頃の運動不足がたたって…
サングラスするほど日が出てきた
ゼェ
ゼェゼェ
そしてやっとグラストンベリー・トアのふもとまで登ると
あ、ここまで送迎バスがあるんだ
ガクッ
ぐぇぇ
だから誰もあの道登ってなかったのか
ふもとと街を往復する送迎バスがあるのを発見!
運動になったしまあいいか…
あの教会って何のために建てられたんだっけ?
聖ミカエルを祭るための教会だったんだよ
まわりに何もないけど水や食べ物はどうやって運んでいたんだろう
不思議だよねさあ、頂上まで後少しだからガンバろう!

あれ？
丘を登り始めたら
急に風が強くなってきたな…

しかもつかまる所がなくって
すっごく不安定

自分で
バランスとり…

そして登れば登るほど、
その風は強さを増して…

登り始めて5分で
風が突風ばりの
荒々しさに

髪が逆毛に

よく考えてみたらトアの頂上って…

ふきっさらし？

ガンバレー

しばらく斜面を登っていたら
びゅぉぉ
レイコ見て！
もんのすごい高さまで登っていて
高所恐怖症なのにこんな高い所にいる！
ひぃ…
さっきの場所がちんまり…
景色いいね♪
くるっ
ひいい
ごわいごわいよおお
ガク～
ガク
ガク
びゅおおおぉ
一瞬でも足を踏み外したら、異界ってか「あの世」行きなんですけど…
びゅううう
油断するとバッグが風で浮く…
ひぃ…
ぶわっ
レイコ！頂上着いたよ！

それは言葉では表現しきれないくらい

巨大で雄大で不思議な姿

さあ、中に入ってみよう

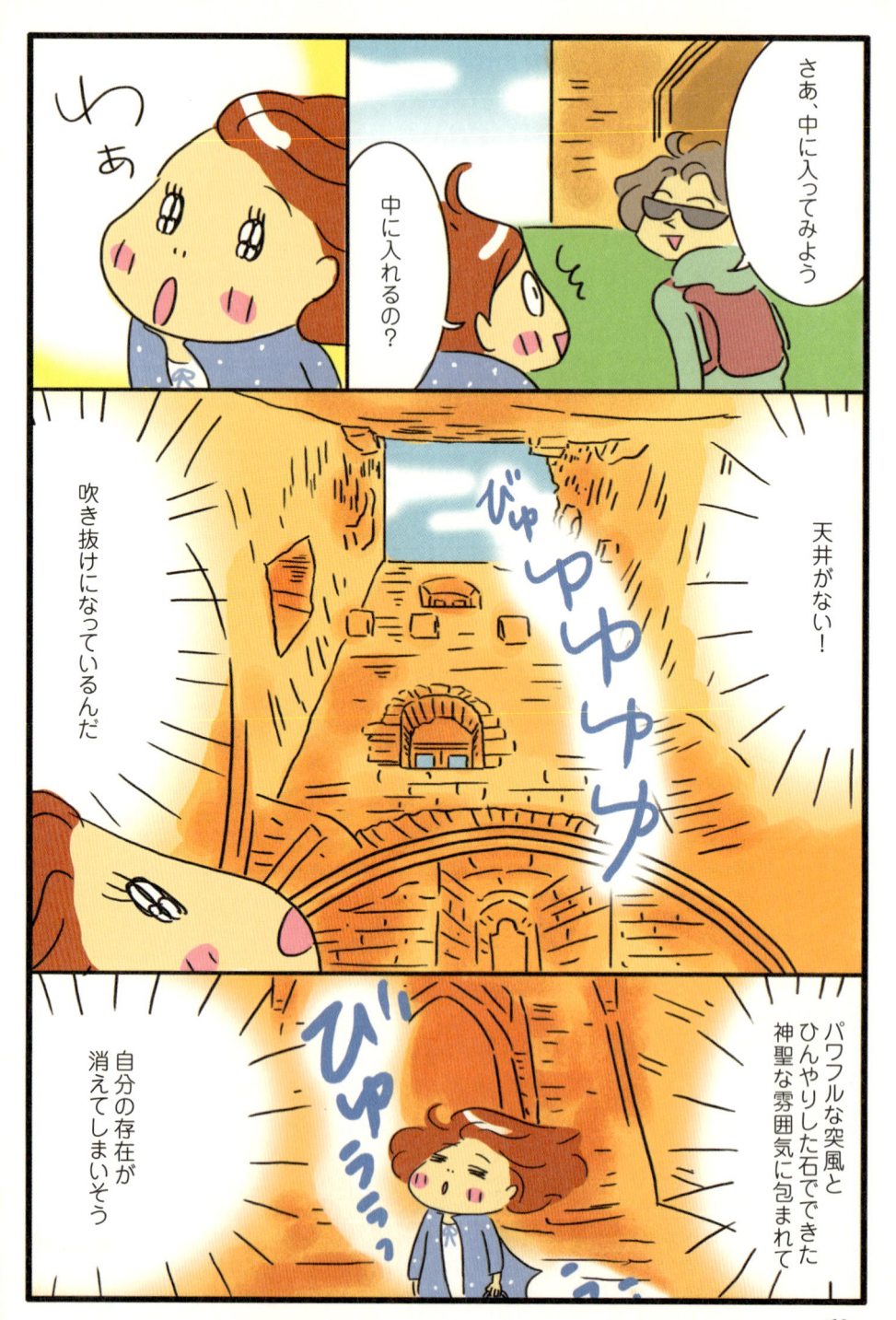

中に入れるの？

わあ

天井がない！

吹き抜けになっているんだ

パワフルな突風とひんやりした石でできた神聖な雰囲気に包まれて

自分の存在が消えてしまいそう

わあ スゴイ景色

あ

びゃーうううう

雲の隙間から太陽の光が差し込んで、広い田園がキラキラしてる…なんてきれいな景色…

広々とした景色を見渡せる壮大な景色を眺めてたら、自然の素晴らしさに感動してどんどん気持ちがハイテンションに！

聖地とされてるのがわかる気がする！今日来れて良かった

ね

記念撮影してー

教会が上まで入らないなぁ

後ずさり

ひぃぃ危ない!!下に落ちちゃうよっ

美しい自然に包まれたトアは私にとっても天に近い聖なるパワースポットでした

GLASTONBURY TOR
グラストンベリー・トア

自然の中を歩く
だけで、リラックス
してくる〜♡

そよそよ

ピピピ
チチチ

グラストンベリー・トアまで歩いた森の中みたいな
坂道。地元の人の犬のお散歩コースになってるもよう…

鳥のさえずりとそよ風が流れてる坂道
のどか〜♪

絵本の世界に迷いこんだみたい…

わあぁ

はむはむ

ムシャムシャ

途中、食事中の牛にもバッタリ！

72

「ナショナル・トラスト保護区なので写真はナショナルトラストからいただきました〜」

©National Trust Images/Fay Godwin

神秘的なたたずまいのグラストンベリー・トア

©National Trust Images/David Sellman

何度見ても神秘的な旧聖ミカエル教会！屋根はないので空が見える！

ふもとまでおりて見つけたグラストンベリーのショートブレッド！

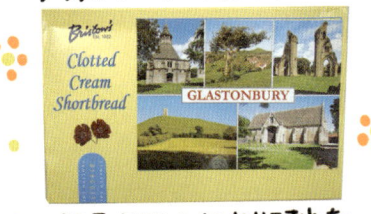

クロテッドクリームがねりこまれた丸いショートブレッド♡

イギリス屈指のパワー・スポット「グラストンベリー・トア」。丘の頂上には、14世紀に建築された大天使ミカエルの塔「旧聖ミカエル教会」がそびえたつ。超常現象が報告されたり、アーサー王伝説に登場する伝説の島・アヴァロンをグラストンベリー・トアに同定する説もあり、「異界への入り口」とも言われています。丘のふもとには聖水が湧き出る泉「チャリス・ウェルズ」があり、キリストの最後の晩餐で使われた聖杯が沈められているという伝説も残っています。

Glastonbury Tor
グラストンベリー・トア
住所 near Glastonbury
http://www.nationaltrust.org.uk/Glastonbury-tor/

Somerset
神秘なグラストンベリーで魔術師アイテム発見？

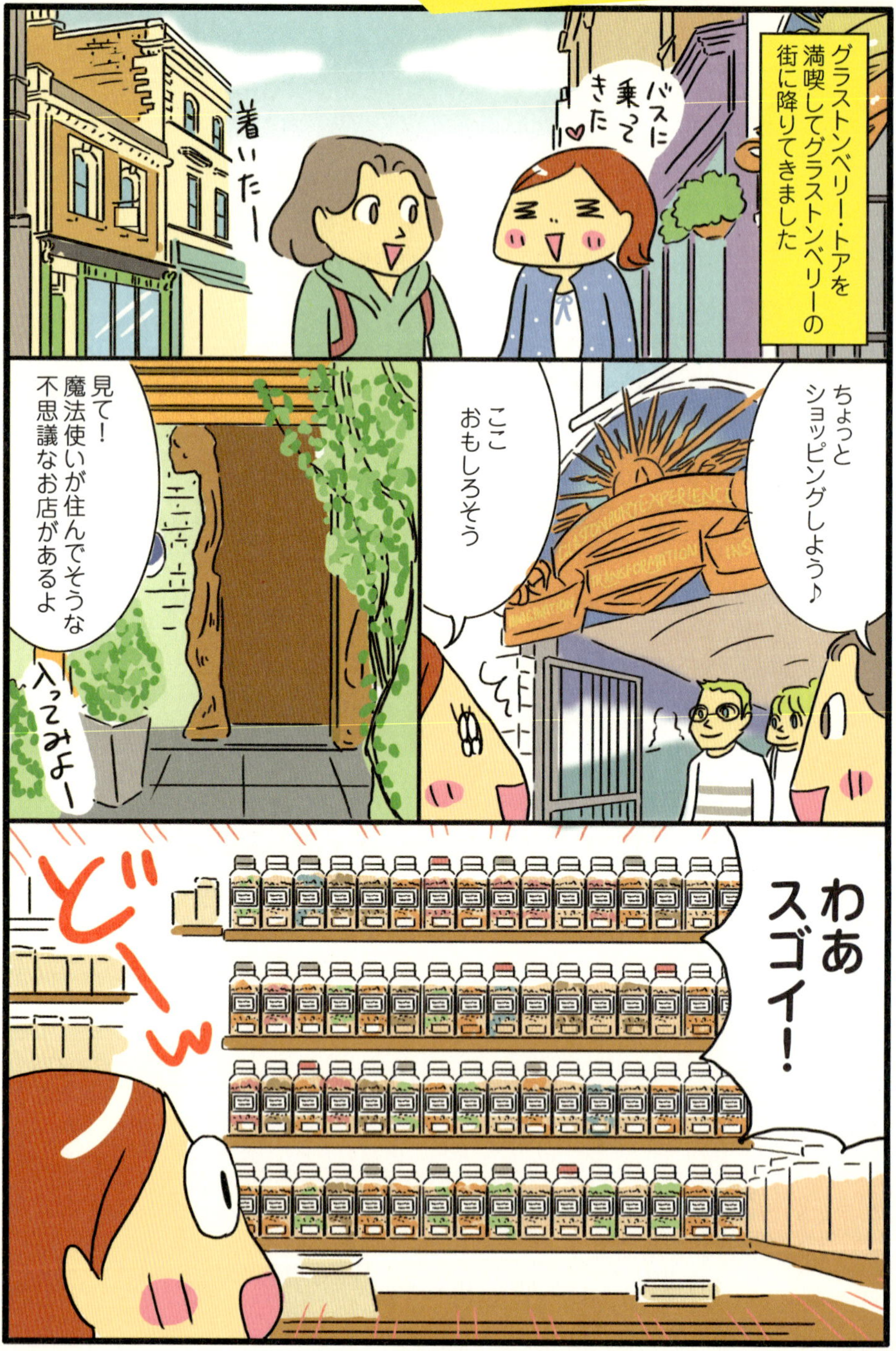

何か本当に魔法使いの実験室みたい
キョロキョロ
スターチャイルドへようこそ
ここは何のお店なんですか?
Star child
PURIFICATION
NATURAL INCENSE
天然ハーブによるハンドメイドのエッセンシャルオイル専門店よ
スペースアロマ?
SPACE AROMA
MERLIN
それはアロマポッドで温めて香りを楽しむルームフレグランスよ
アーサー王は知ってる?
Merlin
アーサー王は魔術師マーリンが支えていたと言われているのよ
このスペースアロマは魔術師マーリンをイメージした香りなのよ
おもしろ〜い
このムーン・タイム(月の時間)は何ですか?
MOON TIME
月をイメージしたマッサージオイルよ
カモミール、セージ、マジョラムなどがブレンドされてるのよ
マジョラムの香り
くんくん
体って月の満ち欠けと関係してるって言われてるし、マッサージはじめてみようかな

この小瓶は何ですか？
インセンス（お香）よ
パカッ
ハーブなどナチュラルな素材をオリジナルにブレンドしてるのよ
どうやって使うんですか？
こうやってお香専用のポッドの中に熱くなったチャコールを置いて、その上でたくのよ
しゅわわわわ
わあ
おおっ
自分の星座から選べるお香や、グラストンベリーの土地をイメージしたお香も人気よ
全てハンド・ブレンドよ
おお
お店全体の良い香りはこれだったのか…
くんくん

とりあえずゴハン食べよう！

あ、あっちにもお店がある！

でも、おなかもへったし…

見たい…

STONE AGE

バタバタ

ここ入ってみよう♪

中にお客さんいっぱいいる〜

おまちどうさま

Vegetable PAKORAS ベジタブルパコラズ

Vegetable Curry & Nanbread ベジタブルカリー＆ナンブレッド

このスパイシーなパコラって野菜の揚げ団子みたいチリソースと合う♪

このカレーも野菜がたっぷり！マイルドで体に優しい味だわぁ

チリソースがおいしい

モグモグ

キャッ キャッ

この後どーする？

お店めぐる？修道院や井戸もあるよ

パワースポットならではのアイテムがたくさんならぶグラストンベリーは、ほんわか幸せ気分になれる街でした

STARCHILD
スターチャイルド

1969年創業のスターチャイルドの店内。
ズラリと並ぶナチュラルなオリジナルアイテムは圧巻!

このチャコールの上に
お香をのせて
たきます。

マジカル、スピリチュアルなどカテゴリーもユニークなお香

使い方も笑顔で実演して
くれました。

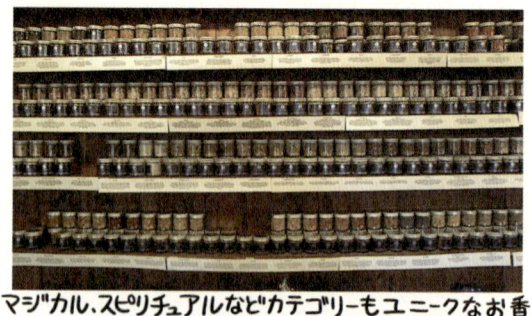

自分の星座の
香りなんて
はじめて!

おお

星座別にブレンドされたお香も!

78

ムーンタイムのマッサージオイル。うっとり♡

魔術師マーリンのスペースアロマと
チャリスのスペースアロマ。香アリミステなリアスさ？

ランチをいただいたパブ。店内には
トアを描いた絵画がかざられてます

パワーストーンのショップ、ストーンエイジ。
ローズクオーツのジュエリーなど
かわいいものがいっぱい！

    スピリチュアルなスポットとして知られるグラストンベリーに本拠を置く、天然のハーブによるハンドメイドのエッセンシャルオイルとインセンス（お香）のショップ。惑星や星座の名前のお香やアーサー王伝説由来の香りなど、ここでしか出会えないアイテムが並びます。
    天然ならではの心地よい柔らかな香りに包まれて、伝説や神話に思いをめぐらすひとときが堪能できるかも。

Starchild
スターチャイルド
住所 The Courtyard
2-4 High Street, Glastonbury,
Somerset　BA6 9DU
http://www.starchild.co.uk/

観光編

カンタン英会話

観光旅行で使える英会話フレーズです！ 使ってみてね♪

タクシーの運転手などに料金を聞くなら

How much will it cost to take me to Stonehenge?
ストーンヘンジまでどれくらい料金がかかりますか？

入場料を聞くなら

How much is the entrance fee?
入場料はいくらですか？

> **ポイント**
> 観光名所や美術館では、入場料は通常3タイプあります。
> Adult（大人料金）、Child（子供料金）、Concession（特別料金／学割など）。

地図をもらうなら

Do you have a map?
地図はありますか？

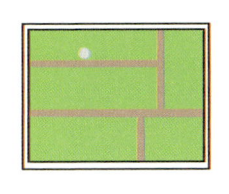

写真を撮ってもらうなら

Could you take a photo of me?
写真を撮ってくれませんか？

食事の場所を聞くなら

Are there any nice restaurants around here?
この辺に良いレストランはありませんか？

3章で紹介した場所の地図

GLASTONBURY TOR
グラストンベリー・トア

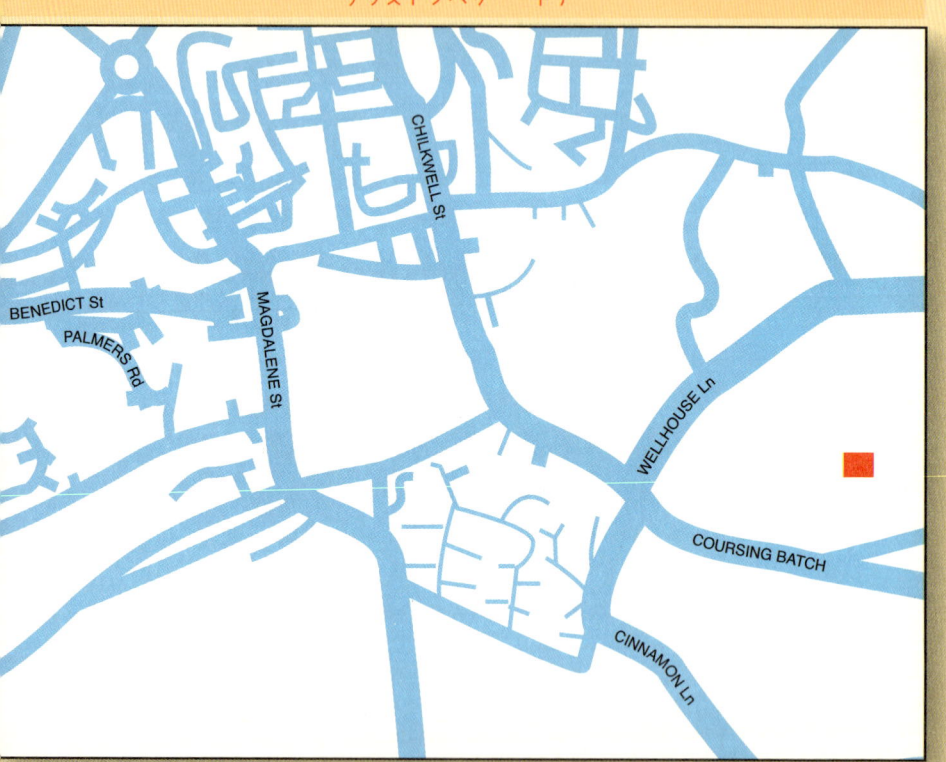

■はその場所です。

STARCHILD
スターチャイルド

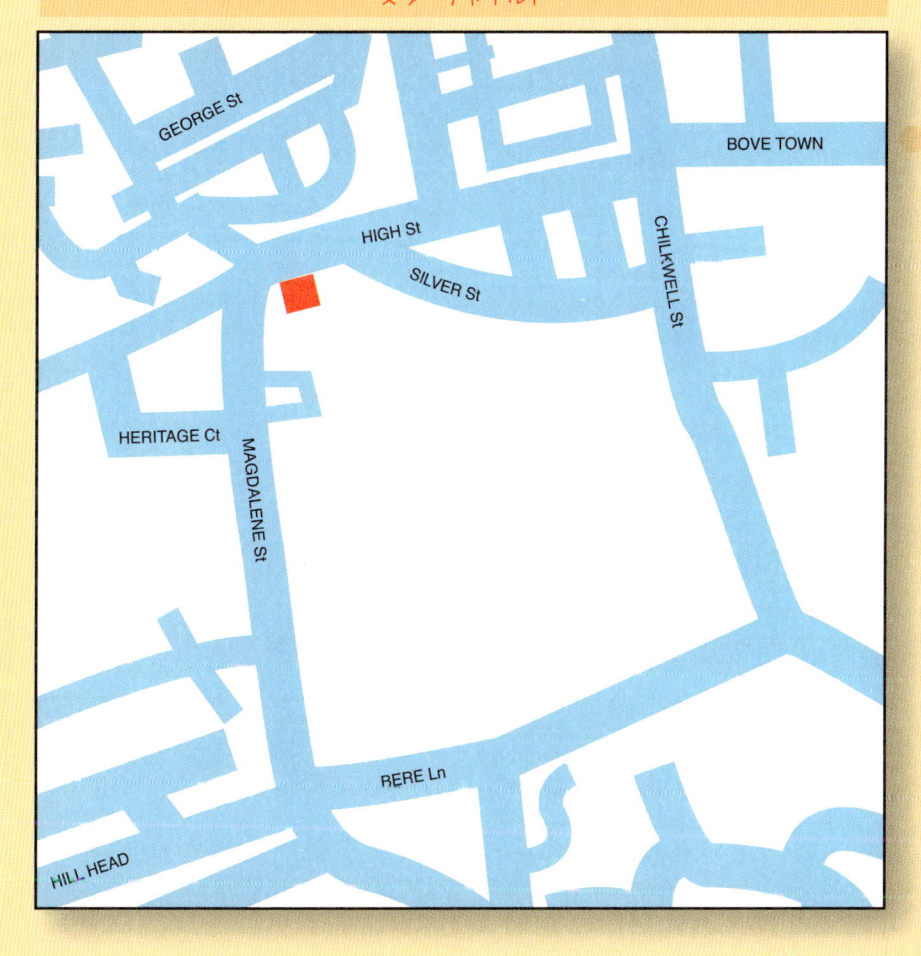

小さな幻?

イギリスでは妖精(フェアリー)の存在が信じられているとか

花とか自然が明い所に現れると言われてる

なぬ!?

フェアリーウェール

でぇぇぇ

フェアリーウェールって妖精登場?

妖精どこ?どこ?

妖精?

キョロキョロ

妖精のフェアリーはFairy。Fairly well. は「まあまあ」という意味(lが入るか入らないかの違い)。良く使うフレーズです。

第 4 章

ロンドンで異空間を楽しみながら
食を堪能♪

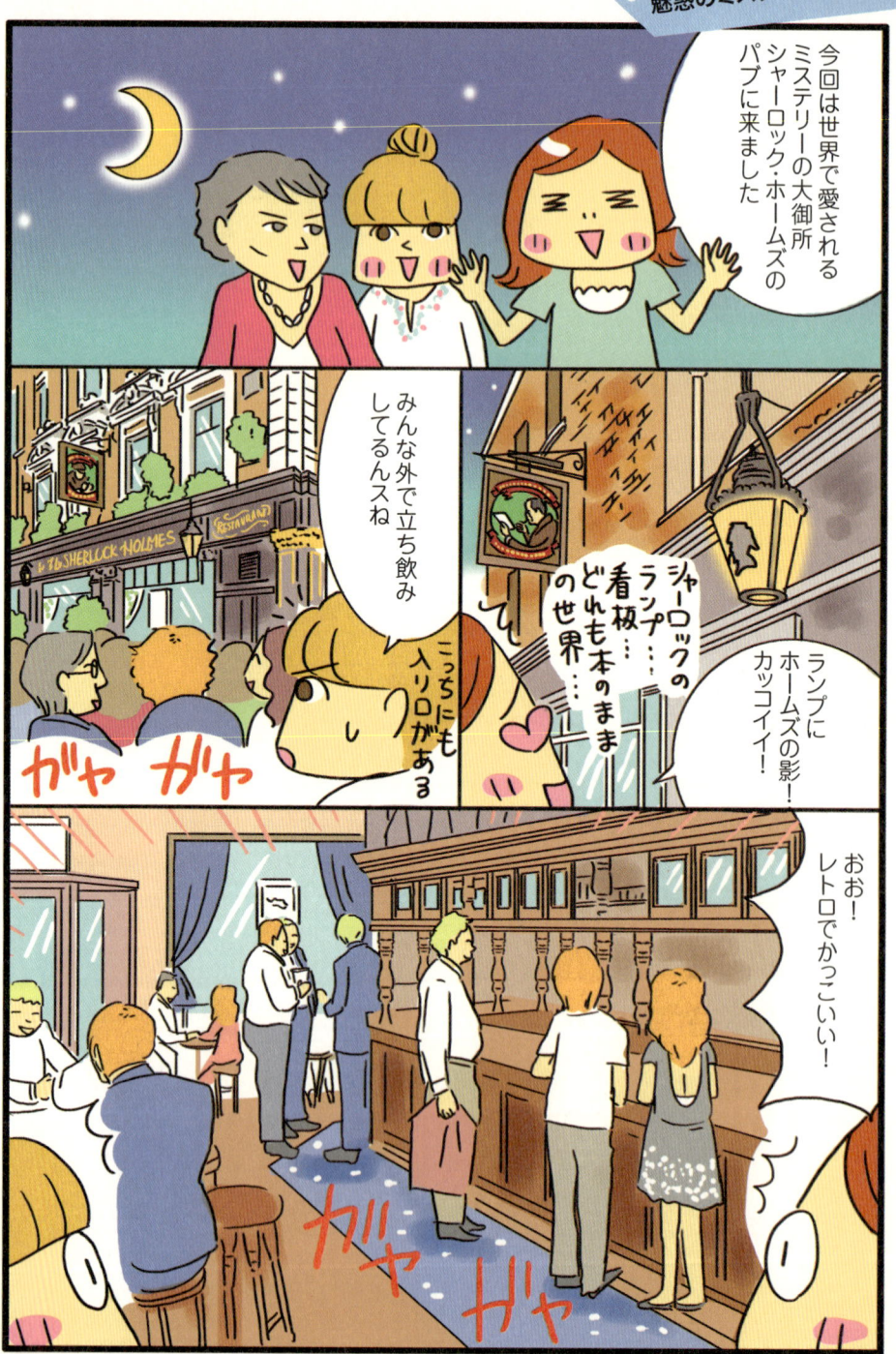

London
魅惑のミステリーの世界へ

今回は世界で愛されるミステリーの大御所シャーロック・ホームズのパブに来ました

みんな外で立ち飲みしてるんですね

こっちにも入り口がある

シャーロックのランプ…看板…どれも本のままの世界…

ランプにホームズの影！カッコイイ！

おお！レトロでかっこいい！

ガヤ ガヤ

ガヤ ガヤ

パブ＝大衆酒場のこと。公共の場所＝Public house（パブリックハウス）からきています。

86

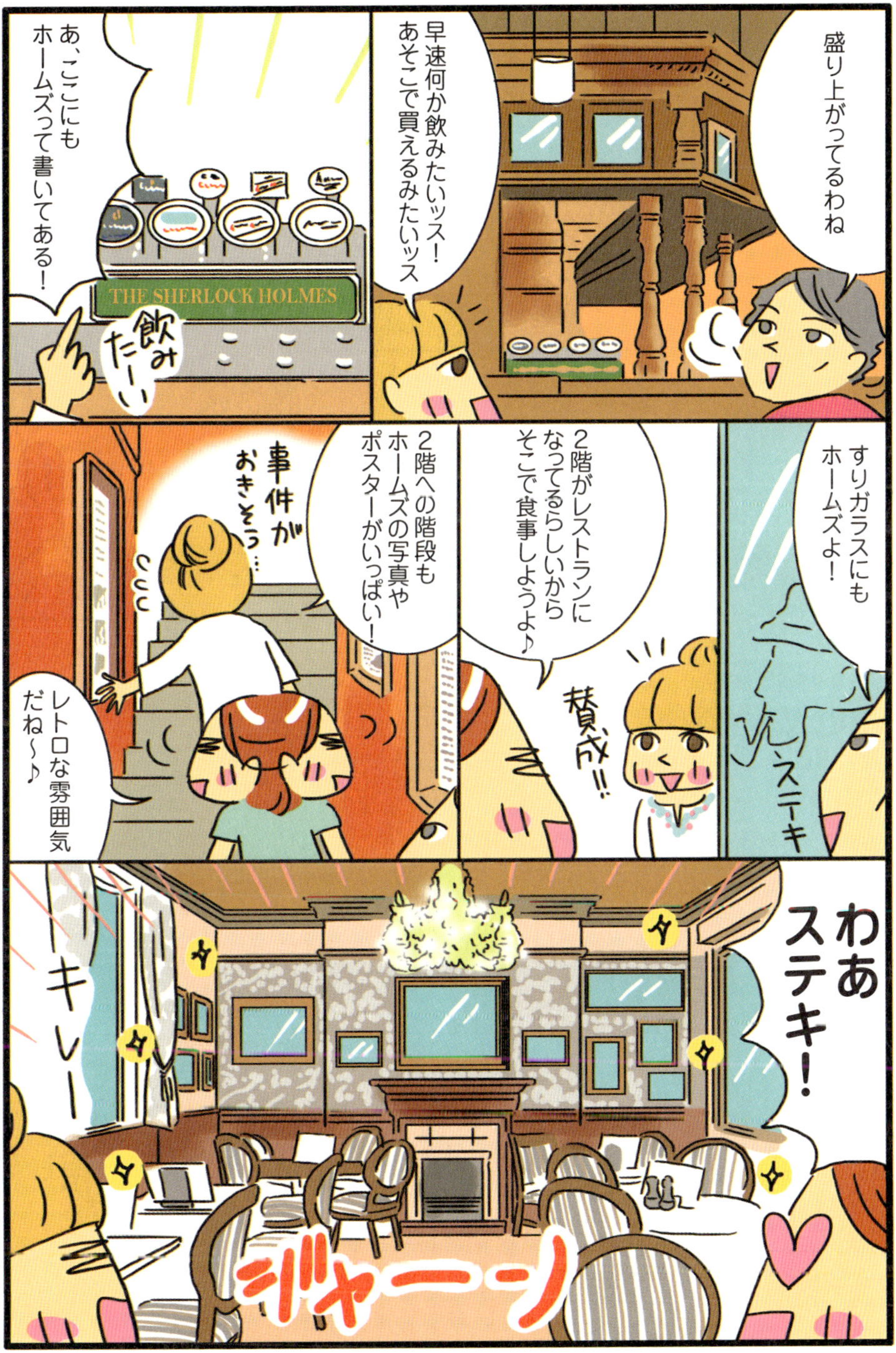
盛り上がってるわね
早速何か飲みたいッス！あそこで買えるみたいッス
あ、ここにもホームズって書いてある！
THE SHERLOCK HOLMES
飲みたーい
すりガラスにもホームズよ！
ステキ
2階がレストランになってるらしいからそこで食事しようよ♪
賛成!!
2階への階段もホームズの写真やポスターがいっぱい！
事件がおきそう…
レトロな雰囲気だね〜♪
わあステキ！
キレー
ジャーン

シャンデリアがある〜豪華ッス!

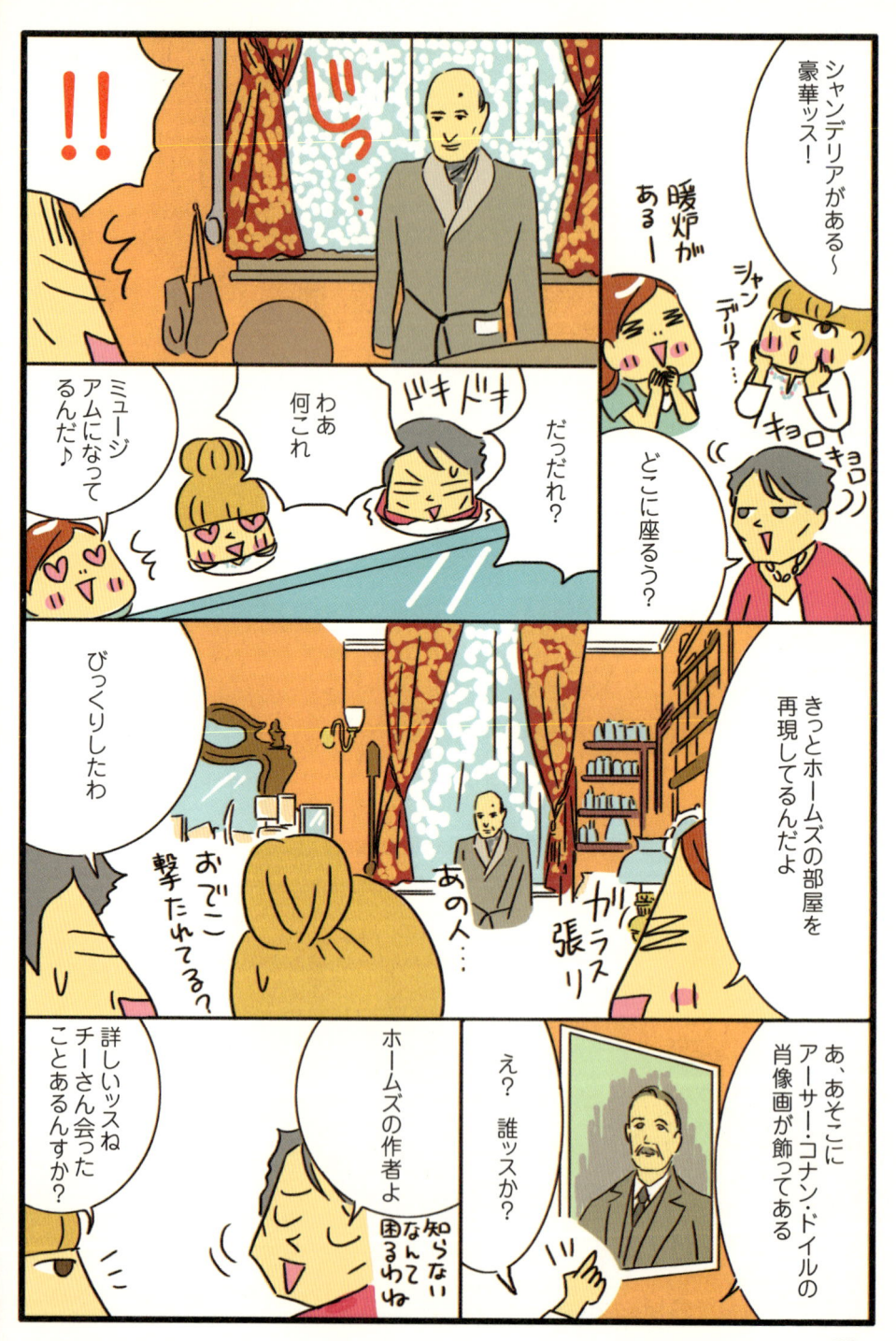

暖炉があるー

シャンデリア…

キョロキョロ

どこに座ろう?

!!

じっ…

だっだれ?

わあ何これ

ドキドキ

ミュージアムになってるんだ♪

きっとホームズの部屋を再現してるんだよ

びっくりしたわ

あの人…

ガラス張リ

おでこ撃たれてる?

あ、あそこにアーサー・コナン・ドイルの肖像画が飾ってある

え? 誰ッスか?

ホームズの作者よ

知らないなんて困るわね

詳しいッスね チーさん会ったことあるんすか?

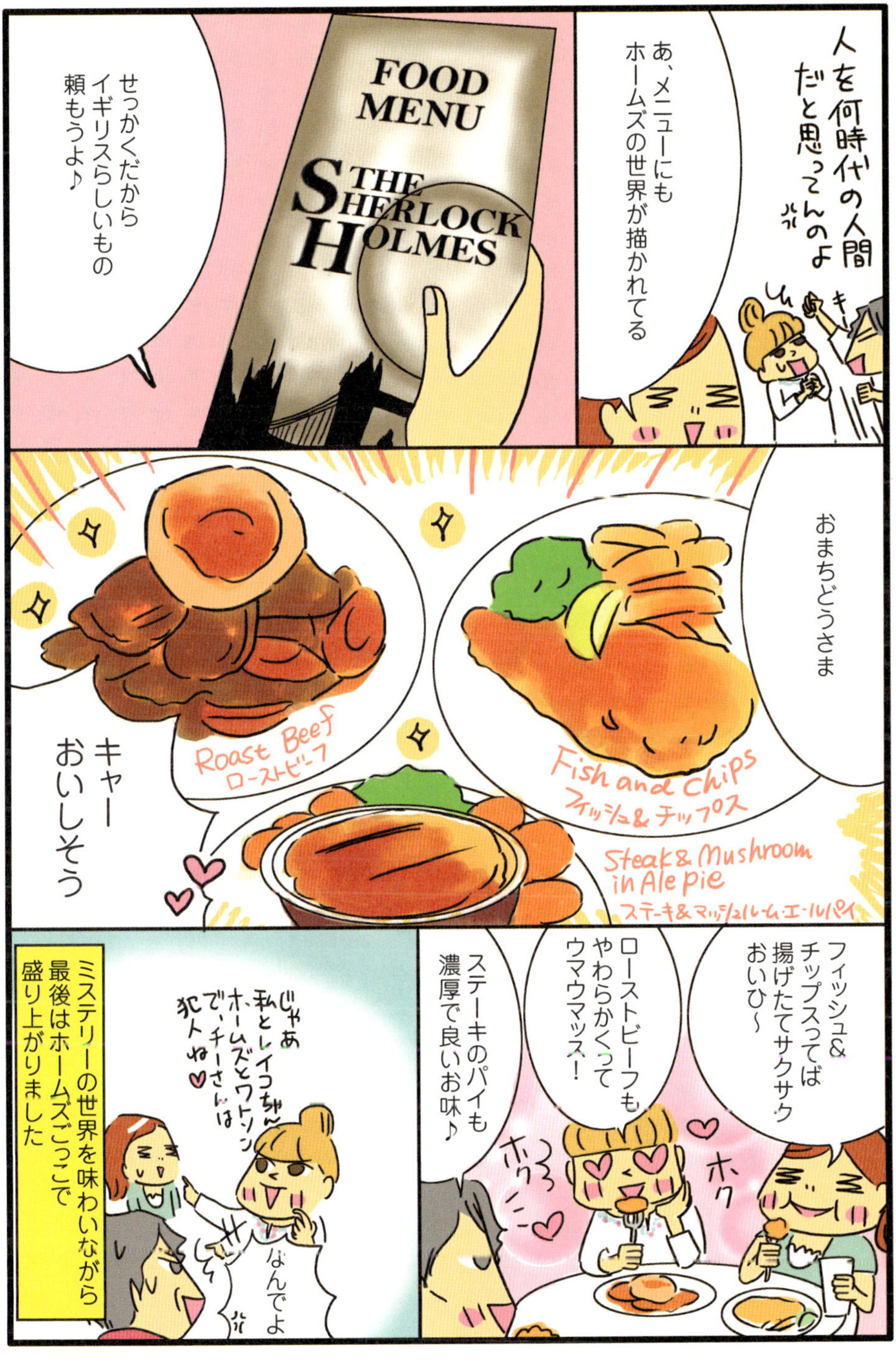
人を何時代の人間だと思ってんのよ
あ、メニューにもホームズの世界が描かれてる
FOOD MENU
THE SHERLOCK HOLMES
せっかくだからイギリスらしいもの頼もうよ♪
おまちどうさま
Fish and Chips
フィッシュ&チップス
Roast Beef
ローストビーフ
Steak & Mushroom in Ale pie
ステーキ&マッシュルーム・エールパイ
キャーおいしそう
フィッシュ&チップスってば揚げたてサクサクおいひ〜
ローストビーフもやわらかくってウマウマッス！
ステーキのパイも濃厚で良いお味♪
ミステリーの世界を味わいながら最後はホームズごっこで盛り上がりました
じゃあ私とレイコちゃんホームズとワトソンで、チーさんは犯人ね♥
なんでよ

THE SHERLOCK HOLMES
ザ・シャーロック・ホームズ

ロンドンのトラファルガー・スクエアのそばにあります！

今回夜に来た際、撮った写真を翌日みたら、暗くてボケボケに…なので昼間に再度来て撮り直しました

あわわ

カシャッ

パブは昔、階級によってサロン・バーと、パブリック・バーに分かれ、入り口もちがいました

2階のレストラン

暖炉やシャンデリアなどホームズの時代を再現!?

でシャーロック・ホームズ・エール 飲みやすくてオススメ♥

店のいたるところにホームズの名前が！

90

2Fのミュージアムではホームズの部屋が再現されています！

夜になると、ホームズの影が目印に…

作者のアーサー・コナン・ドイルや、歴代のホームズ＆ワトソン役の写真も！

　世界中で愛されている名探偵シャーロック・ホームズの世界を堪能できるパブ「ザ・シャーロック・ホームズ」。壁にはホームズにまつわる展示物がズラリと並べられ、作品の舞台となった古き良き時代を彷彿とさせるインテリアも特徴的。シリーズの傑作のひとつ「バスカヴィル家の犬」に登場するバスカヴィル卿が宿泊したとされる、ノーザンバーランド・ホテルの跡地に作られた、シャーロキアンの聖地です。2階のホームズの部屋を再現したミュージアムは必見！

The Sherlock Holmes
ザ・シャーロック・ホームズ
住所 10-11 Northumberland Street, Westminster WC2N 5DB
http://www.sherlockholmespub.com/

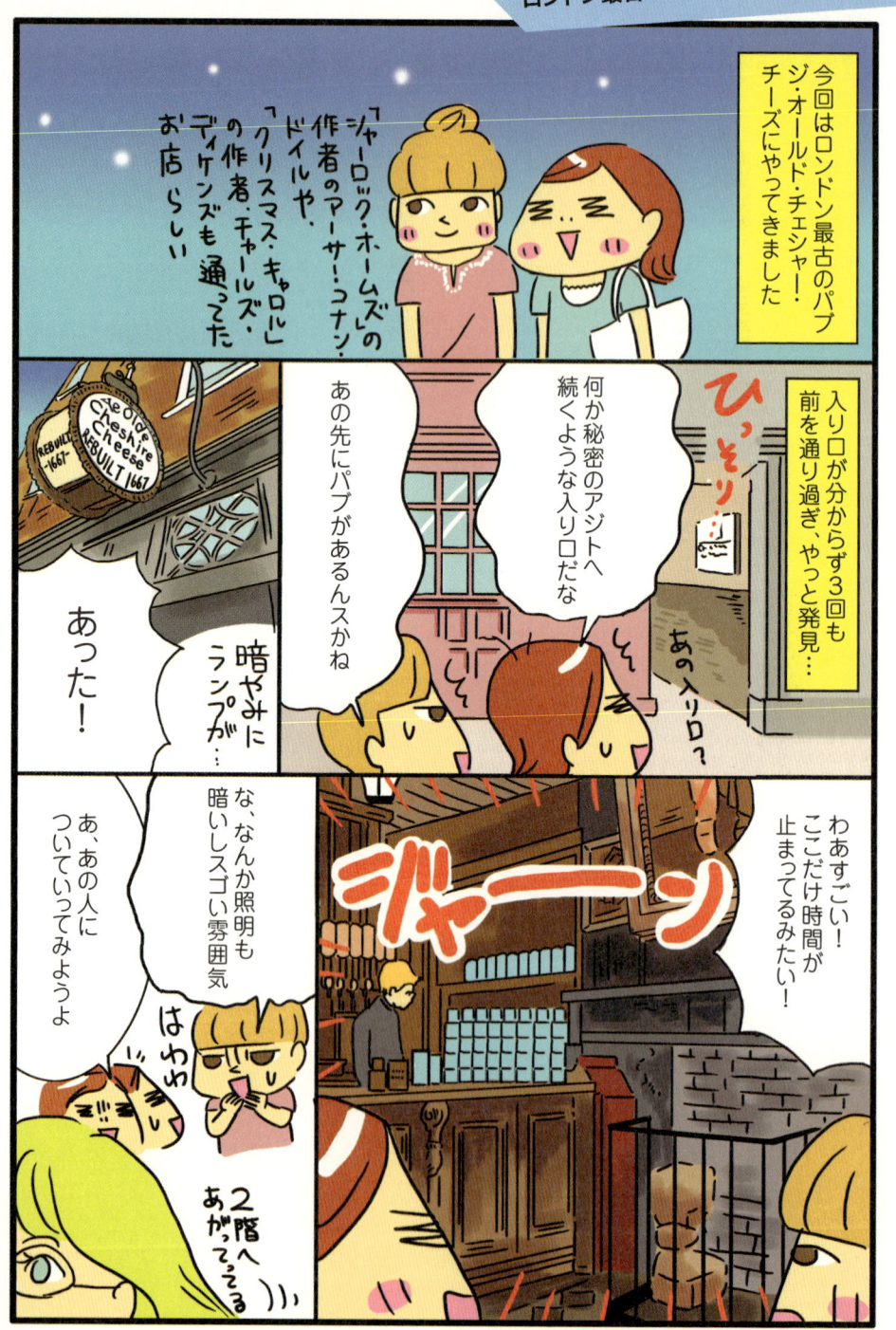

London
ロンドン最古のパブでタイムスリップ？

今回はロンドン最古のパブジ・オールド・チェシャー・チーズにやってきました

「シャーロック・ホームズ」の作者のアーサー・コナン・ドイルや、「クリスマス・キャロル」の作者・チャールズ・ディケンズも通ってたお店らしい

入り口が分からず3回も前を通り過ぎ、やっと発見…

ひっそり…

あの入り口？

何か秘密のアジトへ続くような入り口だな

あの先にパブがあるんスかね

暗やみにランプが…

あった！

ジャーーン

わあすごい！ここだけ時間が止まってるみたい！

な、なんか照明も暗いしスゴい雰囲気

あ、あの人についていってみようよ

はわわ

2階へあがってってる

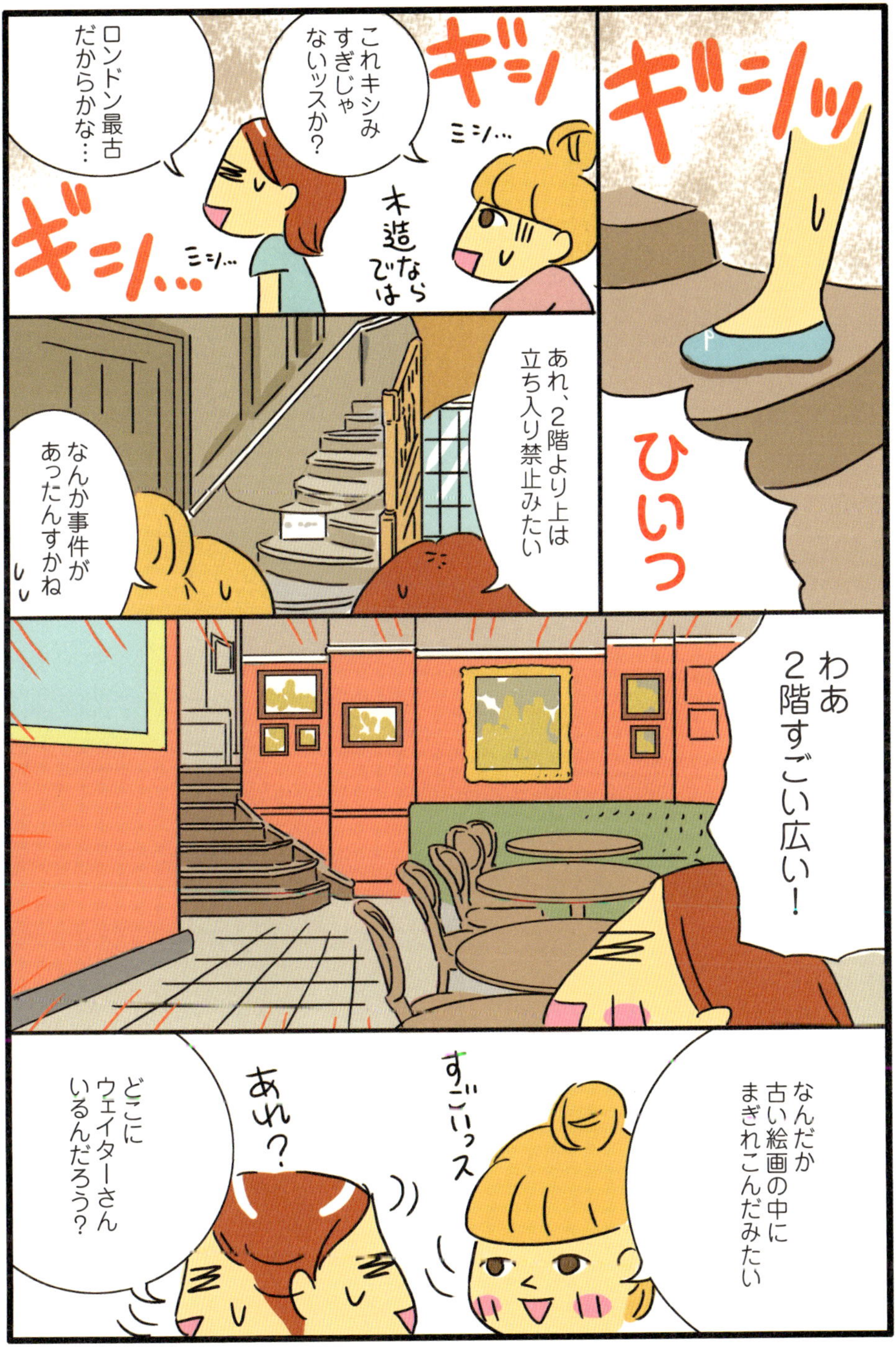
ギシッ
ひいっ
ギシ
ミシ…
これキシみすぎじゃないッスか？
木造ならでは
ロンドン最古だからかな…
ギシ…
ミシ…
あれ、2階より上は立ち入り禁止みたい
なんか事件があったんすかね
わあ2階すごい広い！
なんだか古い絵画の中にまぎれこんだみたい
すごいッス
あれ？
どこにウェイターさんいるんだろう？

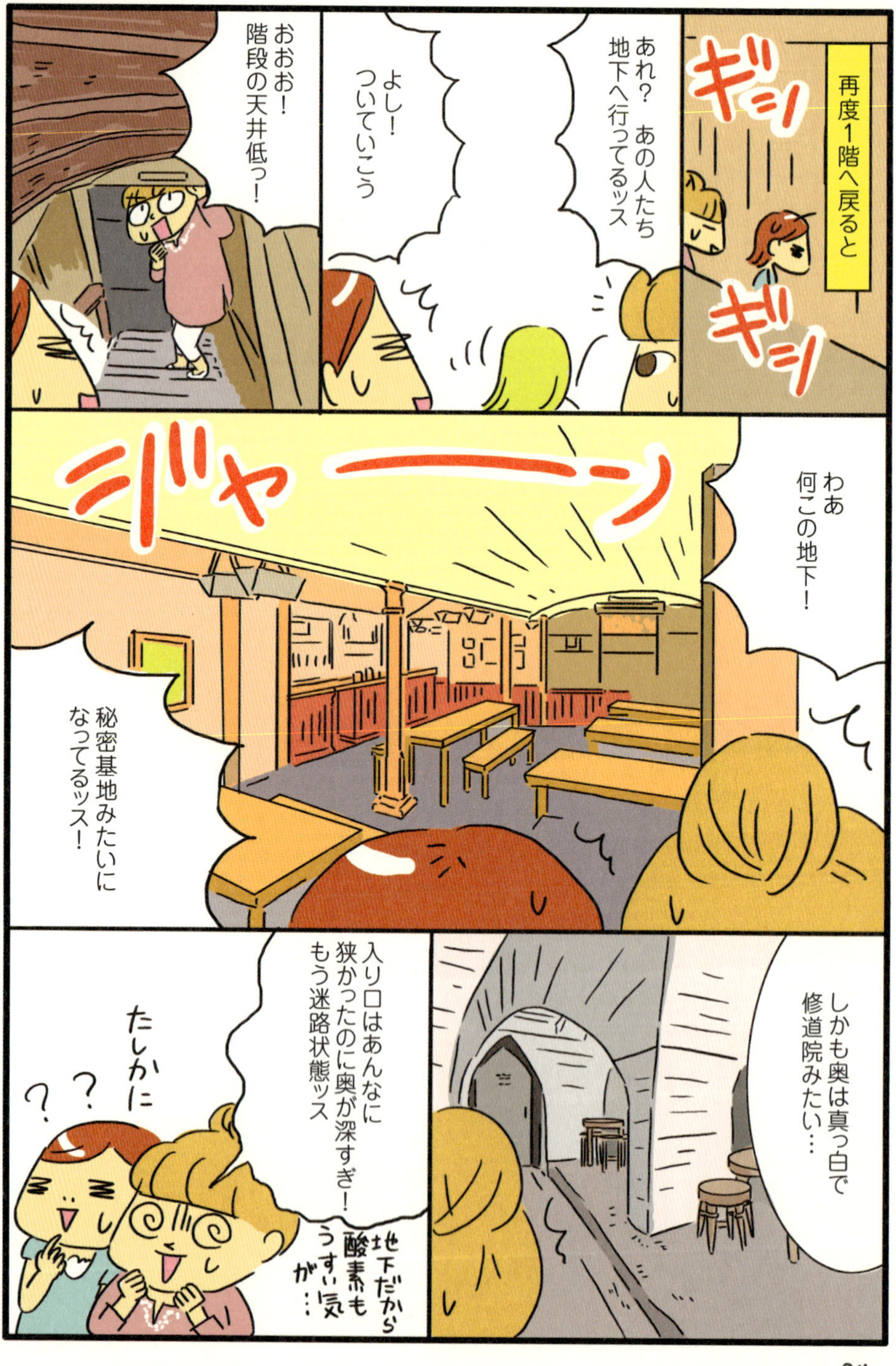

再度1階へ戻ると
ギッ
ギッ
あれ？ あの人たち地下へ行ってるッス
よし！ ついていこう
おおお！ 階段の天井低っ！
ジャーーン
わあ 何この地下！
秘密基地みたいになってるッス！
しかも奥は真っ白で修道院みたい…
入り口はあんなに狭かったのに奥が深すぎ！ もう迷路状態ッス
地下だから酸素もうすい気が…
たしかに
？ ？

あそこでお酒買ってるッス！
えーと ここ初めてなんですけど何かオススメは…
OK！
ちなみに私はお酒弱くて…
おまたせ！
お酒の弱い人にはジンジャーエールで割ったシャンディをどうぞ
ぷはー
うまー
最高ッス！
いやーしかしここスゴイ！ 最古って言われてるけど何百年くらい前に建てられたんだろう
さっきの人に聞いてみない？
え？ この地下は13世紀の建物だよ
サラッと
13世紀!?
鎌倉時代じゃん
なんと800年前の建物を利用したパブ！結局夜遅くまで各部屋をめぐりながら楽しみました

YE OLDE CHESHIRE CHEESE
ジ・オールド・チェシャー・チーズ

ぼぅ…

ランプには
パブ名が
書かれてた…

このランプが
目印だった

入り口が全然
見つからなかった

キョロ
キョロ

ひとつめの入り口発見！
ここを通って、ふたつめの入り口へ
細い道を歩きます。

入り口には、パブの歴史を物語る
時代ごとの年表がかかげられている

まだかな…と歩いていくと、2つ目の
入り口発見！この丸いランプの下に。

あった!!

ロンドン最古のパブと言われているYe Olde Cheshire Cheese(ジ・オールド・チェシャー・チーズ)。1538年の創業だが、現在の建物は1667年に建て直されたもの。内部はいくつもの小部屋に分かれ、歴史を物語る個性豊かな空間が広がっています。2階では伝統的な英国料理も楽しめます。ちなみに店名の冒頭にある'Ye'は'The'の古い書き方で、発音は同じです。

Ye Olde Cheshire Cheese
ジ・オールド・チェシャー・チーズ
住所 145 Fleet Street, London EC4A 2BU
http://www.pubs.com/main_site/pub_details.php?pub_id=154/

London
神聖な教会の地下で旬のランチ

今日は教会の地下でランチが食べれると聞いて…

今日のランチは修道女気分で

ロンドンの聖メアリー・ル・ボウ教会にやってきました

見て！"この教会の鐘の音が聞こえる範囲までの住人がロンドン子って呼ばれる"って書いてある

ST.MARY H
The Chu
ThisChurch
Christopher
war damag
centuy chu
Great Fire T
is found the
vives.TheTo
Wren's finest a
the famous Bow
sound a True Cockney is bor

ちょっと教会覗いてみよう

ひんやりしてる

キィ…

わあ！すごい！

キレイ…
神聖な雰囲気…
ほぅ
ふぬっ
1080年に建てられて、ほぼ1000年の歴史があるのよ
戦火で燃やされもしたけど
見て! 窓から急に光が差し込んできたよ
サァ……
キラ
キラ
ほんと
急に…
太陽の光を浴びて光り輝く神々しい教会をながめていたら、なんだかジーンと感謝の気持ちがわき上がってきました
キレイ…
じーん
ぐぅ～
じゃあ心が癒やされたらお腹を癒やしに地下でゴハンにしましょうッス!
あんたって女は…
そ…そーね

わあスゴイ！
美術館みたい！
こんな厳かな場所でランチ？
ジャーン
私にはもはや遺跡に見えるんですけど
日本で言う国宝級のお寺みたいなカンジッスかね
ハーイ！
ここはセルフサービスだから、食事するなら好きなものを選んでね
あっ
はーい
場所は伝統的だけどシステムはモダン
おいしそう♪
どれも地元の食材や、オーガニックの素材を生かした旬のメニューばかりだよ

今は肉や魚も楽しめるけど、前はベジタリアンメニューのみだったんだよ

メニューは日替りだよ

日本もお坊さんが食べる精進料理は、野菜が中心って聞くよね

何か共通してそうだね

いったたきまーす！

Vegitable Quiche ベジタブルキッシュ

Curried parsnip soup カレー風味のパースニップスープ

Lamb chilli & Mint burger ラム肉とチリとミントのバーガー

聖なる場所で食事すると、修道女の気分ッス！

修道女はラム肉のハンバーガーにかぶりついたりしないと思うけど

ガブ
うま♡

うわ！チョコレートケーキもある♪

アンタって聖なる雰囲気をとことん壊すわね

聖なる空間で味わったランチは、どれも幸せな気分にさせてくれる味でした

ST MARY-LE-BOW CHURCH
CAFE BELOW

聖メアリー・ル・ボウ教会のカフェ・ビロウ

1階の教会内。セント・ポール大聖堂を設計した建築家クリストファー・レンが設計したことでも有名です

重厚な石の柱と神聖な雰囲気を演出していたまっ白な天井

あぁ…突然陽の光が…

カップル席？

この席は遺跡の中にいる気分…

料理・スイーツ・ドリンクすべてここのカウンターに

ランチタイムはスープとパンですます人も多かった。ここのスープは野菜たっぷり！

ろうそくの灯のような、ほのかな
やさしい光の照明も落ちつく〜

ここで流れるゆっくりとした時の流れに身を
任すと930年前に時をさかのぼった気分に…

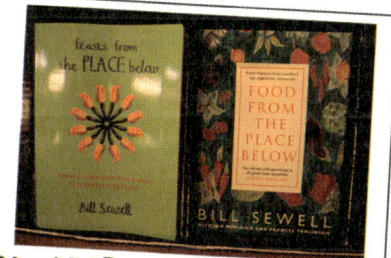

テーブルの上のレモン水がおいしかった〜

ここのレストランのレシピ本も出てます！
もともとはベジタリアンフードメインなの
で、野菜をアレンジするアイデアが満載！

メニューは旬の素材に合わせて
いろいろ替わるので毎日通いたくなる

聖メアリー・ル・ボウ教会の地下にある「カフェ・ビロウ」。外の慌ただしい喧噪とはまったくかけ離れた、ゆったりとした時間が流れている。シェフや店員は、みなフレンドリーなので、温もりに満ちたホットホームな空間なのも嬉しい。

料理は、フリー・レンジの卵、オーガニックのオート麦、野菜の持ち味を最大限に生かした、栄養たっぷりのメニューがズラリ。モチモチとした弾力がある自家製パンやスイーツも充実。食事に感謝を唱えたくなってしまう、心洗われる都会の聖地。

St Mary-le-Bow Church
Cafe Below
聖メアリー・ル・ボウ教会のカフェ・ビロウ
住所 St Mary-le-Bow Church Cheapside, London EC2V 6AU
http://www.cafebelow.co.uk/

他にもオススメ！タイムスリップエリア

THE SHERLOCK HOLMES MUSEUM
シャーロック・ホームズ博物館

館内はシャーロック・ホームズの小説に記されている内容を再現。玄関前にある階段は17段で、「ホームズ自筆」(!)の日記帳、本の中に仕込まれた銃など、物語中のアイテムが満載！ヴィクトリアン時代のミステリーのワンダーランド！

ホームズとワトソンが今にも現われてきそう…

パイプもこんなに発見！

ホームズとワトソンが1881年〜1904年に住んでいたとされるベーカー街の221b番地の書斎。

THE SHERLOCK HOLMES MUSEUM
シャーロック・ホームズ博物館
住所 221b Baker St, London NW1 6XE
http://www.sherlock-holmes.co.uk/

CITTIE OF YORKE
シティ・オブ・ヨーク

1430年から続くパブ。当時の酒蔵がセラー・バーとして使われ、重厚な趣の店内が、歴史を物語る、隠れ家のような空間。

ど〜ん！

カウンターの上に巨大なタルが！その下のレギュラーサイズのタルや時計とその巨大さを比べて見てください！

1890年に再建築された店内！天井がたか——っい！

1420年からコーチイン（宿泊施設）としてオープン！

15世紀へタイムスリップ！

CITTIE OF YORKE
シティ・オブ・ヨーク
住所 22 High Holborn, London WC1V 6BN

CLACHAN
クラッカハン

ゆったりとした時間を過ごせる場所として支持を集めるパブ。落ち着いた雰囲気の店内。
　19世紀の面影を堪能できるノスタルジックなパブ。

古き良き時代を感じさせる店内。

飲みやすいロンドン・プライドがオススメ！単位はパイント！

クラッカハンは外観もゴージャス！

飲みやすいエールはじめギネスなどいろいろ楽しめるよ♪

19世紀へタイムスリップ！

CLACHAN クラッカハン	住所 34 Kingly St. London W1B 5QH http://www.nicholsonspubs.co.uk/theclachankinglystreetlondon/

しかもイギリスではゴーストが出る家は、不動産屋で高く売れるという話も…。
イギリスっておもしろい国ですね

不動産情報紙にのってるのかしら？

イギリスの歴史ある場所では、ゴーストの存在も信じられているとか…。
そしてそんなパブをめぐるツアーもあったりします！

カンタン英会話

パブ編

パブでオーダーする時に使われる英会話フレーズです！使ってみてね♪

飲み物を注文する時は

Could I have a pint of London Pride?
ロンドンプライドを1杯ください

> **ポイント**
> ビールの量単位は1パイント(a pint)か、その半分の半パイント(a half pint)。1パイントは約568ml。

タイプ	銘柄	特徴
Bitter ビター	London Pride ロンドン プライド	濃い褐色でホップの苦味がきいた味わい。
Lager ラガー	Beck's ベックス	下面発酵のビールで、すっきりした味わいのビール。
Stout スタウト	Guinness ギネス	黒ビールです。苦味も甘味も少し強めの濃厚な味わい。
Cider サイダー	Strongbow ストロングボー	りんごの発泡酒。フルーツ由来の甘さが特徴的。
Shandy シャンディー	Stella Artois & lemonade ステラアルトワ&レモネード	ビールをレモネードで割った飲み物。ビールの銘柄を選んで楽しめます。(イギリスではレモネードはスプライトやセブンアップを意味することがあります)

パブで飲み物を注文する際、ビールは銘柄を伝えます。特に人気なのはこちら！

料理を注文する時は

Could we have fish and chips?
フィッシュアンドチップスをください

Our table number is 3.
テーブルは3番です

> **ポイント**
> パブでは、飲み物と食べ物をカウンターで注文します。飲み物はその場で受け取り、食べ物は自分の座る席を決めてから、テーブルに書かれている番号を注文の際に伝えます。

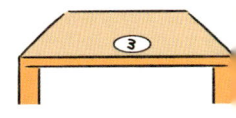

料金を聞く時は

How much is the total?
合計でいくらですか？

カンパイする時は

Cheers!
カンパイ！

4章で紹介した場所の地図

THE SHERLOCK HOLMES
ザ・シャーロック・ホームズ

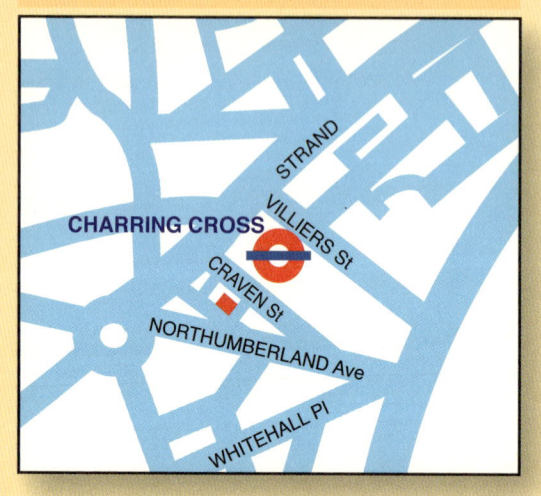

ST MARY-LE-BOW CHURCH CAFE BELOW
聖メアリー・ル・ボウ教会のカフェ・ビロウ

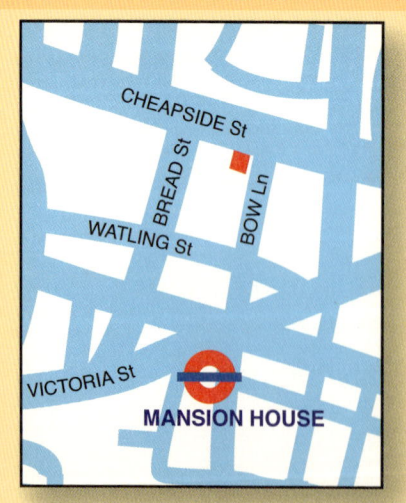

YE OLDE CHESHIRE CHEESE
ジ・オールド・チェシャー・チーズ

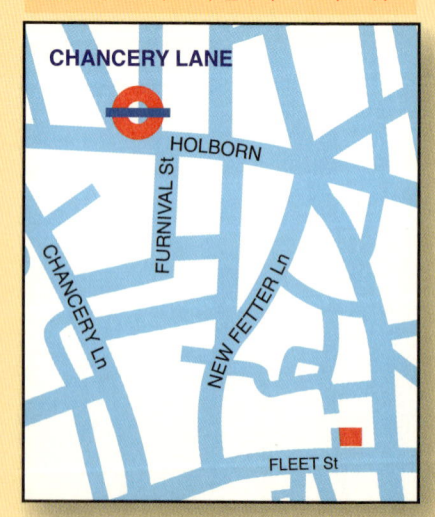

青字で書かれた名前は最寄り駅名。
■はその場所です。

THE SHERLOCK HOLMES MUSEUM
シャーロック・ホームズ博物館

- BALCOMBE St
- GLOUCESTER Pl
- CHAGFORD St
- GLENTWORTH St
- BAKER St
- MELCOMBE St
- MARYLEBONE Rd

BAKER STREET

CLACHAN
クラッカハン

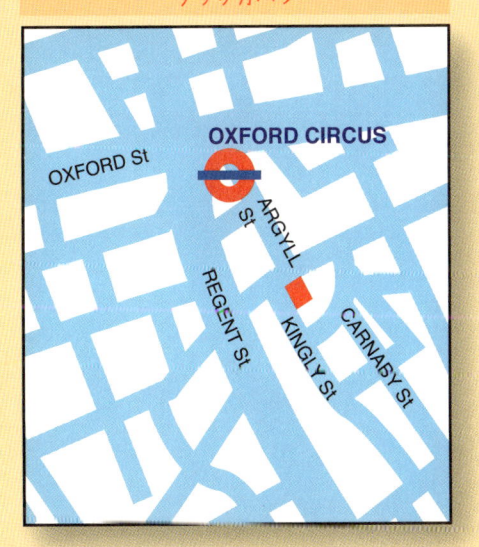

- OXFORD St
- **OXFORD CIRCUS**
- ARGYLL St
- REGENT St
- KINGLY St
- CARNABY St

CITTIE OF YORKE
シティ・オブ・ヨーク

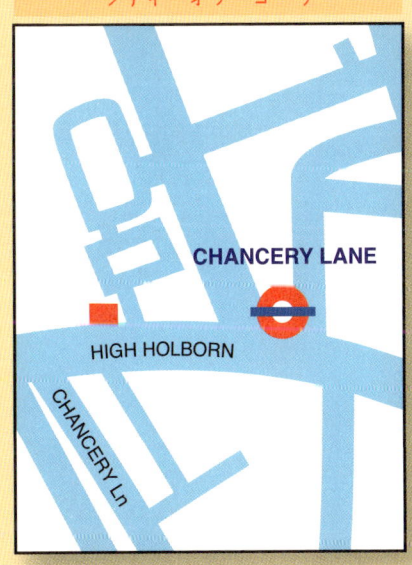

- **CHANCERY LANE**
- HIGH HOLBORN
- CHANCERY Ln

パブでは?

あのグループ盛り上がってるッス

でも真ん中の人相当酔っぱらってない?

The next round's on me!

次はラウンド？まさかあんなに酔ってるのに回る気？

しかもラウンズ！複数！？

ストップ！あぶないよぉ

お？なんだなんだ

イギリスのパブではひとりひとりが注文せずに友人グループの代表がそれぞれ順番に注文し、支払います。その順番が回ることをラウンドと呼びます。「The next round's on me!」は「次は僕が払うよ!」の意味。

第5章

英国南西部の古代神秘・謎の巨石
パワースポットめぐり

Wiltshire
聖なる祭壇？謎に包まれた巨石群

紀元前2500年頃に建てられた古代の遺跡ストーンヘンジにきました

わーい
わーい

ってかチーさん着すぎっス 冷え性っスか？

何言ってんのよ 野外だから寒いでしょ

暑くないっスカ？

見て！日本語のオーディオガイド借りれるってよ

わーい！私ももらってこよう♪

どーーん

エントランスをくぐると、そこには世界7不思議のひとつ世界遺産の「ストーンヘンジ」が！

きょ、巨大だねえ
ひゃあー
どうやって
こんな巨石を運んで
きたんスかね
ぴっ
よし！
早速ガイド聞いて…
ストーンヘンジはっ！
スト…
ちょっ！ チーさんの大声が
ガイドとハモるから
聞きづらいッス！
んま！ 私はみんなを代表
して通訳してあげたのに！
また…
通訳って
もとから
日本語ッス！
あの…
ストーンヘンジって
何のために作られ
たんだろうね…
あら！
それはいろんな説が
あるみたいよ！
太古の天文台とか
聖なる祭壇とか
古代の墓とかね

じゃあいまだに謎のベールに包まれているんッスね

でも謎は謎のままでもいいんじゃない?

太古の天文台なんてロマンチックだしね

たしかに

神秘的な

ポツンと立ってるあの石ってサークルの中心から見ると夏至の日の出の方向と一致するらしいよ

どうやって計算したんだろう

謎ッス とりあえず記念に撮っとこ

パシャ

?

せっかくだからもっと近づきたいけど、ロープがはられているから近づけないね

石の上見て!人が近寄らないから鳥がリラックスしちゃってるわ

世界遺産ってわかってるんスかね?

謎だらけの
ストーンヘンジ…

鳥がきても、雨が降っても、この姿のまま何千年もの間ずっと建ちつづけているんだなあ

ぼんやりストーンヘンジを見つめていると、今も昔も変わらない大きな時間の流れを感じるなあ

きっとそんな太古から変わらない揺るぎない姿に惹かれて多くの人が集まっているのかも

謎多きミステリアスな場所というより

いにしえの時代から受け継がれた太古の英知に癒やされたような気持ち

寒い！
チーさん上着貸して！
だから言ったでしょ

ストーンヘンジは、ゆったりとした気持ちになれるパワースポットでした

ストーンヘンジに行ったことを伝えたら…
エイブベリーにも行った？
えっ？
グラストンベリーに一緒に行ったジュディ
ストーンヘンジよりさらに古い紀元前2800年頃にできたストーンサークルがあるんだよ
ストーンヘンジのすぐそばだよ
村がすっぽり入ってて、イギリス最大の広さなんだよ
しかもエイブベリーは立石に直に触れるんだよスゴクない？
行ってみたい
そして数週間後にエイブベリーに行くことに

わぁ

いろんな形があるんだね

あ、これはあくびしてるみたい

低いけど、個性的な形してるよね

こっちは石の中にハートの形がある！カワイイ！

これって触っていいんだよね

そうだよ

ぴと…

あ、ひんやりしてる

5000年近くの歴史ある立石 ひんやりしてて神秘的なのに

表面はすべすべ、肌触りが良くって どっしりしてて母なる大地って感じ

列石に囲まれてるからか、 自然の中にいるからなのか

そよそよ

雑音も何もなくて、 まったり落ち着いた 気持ちになるなあ

車が走ってる?

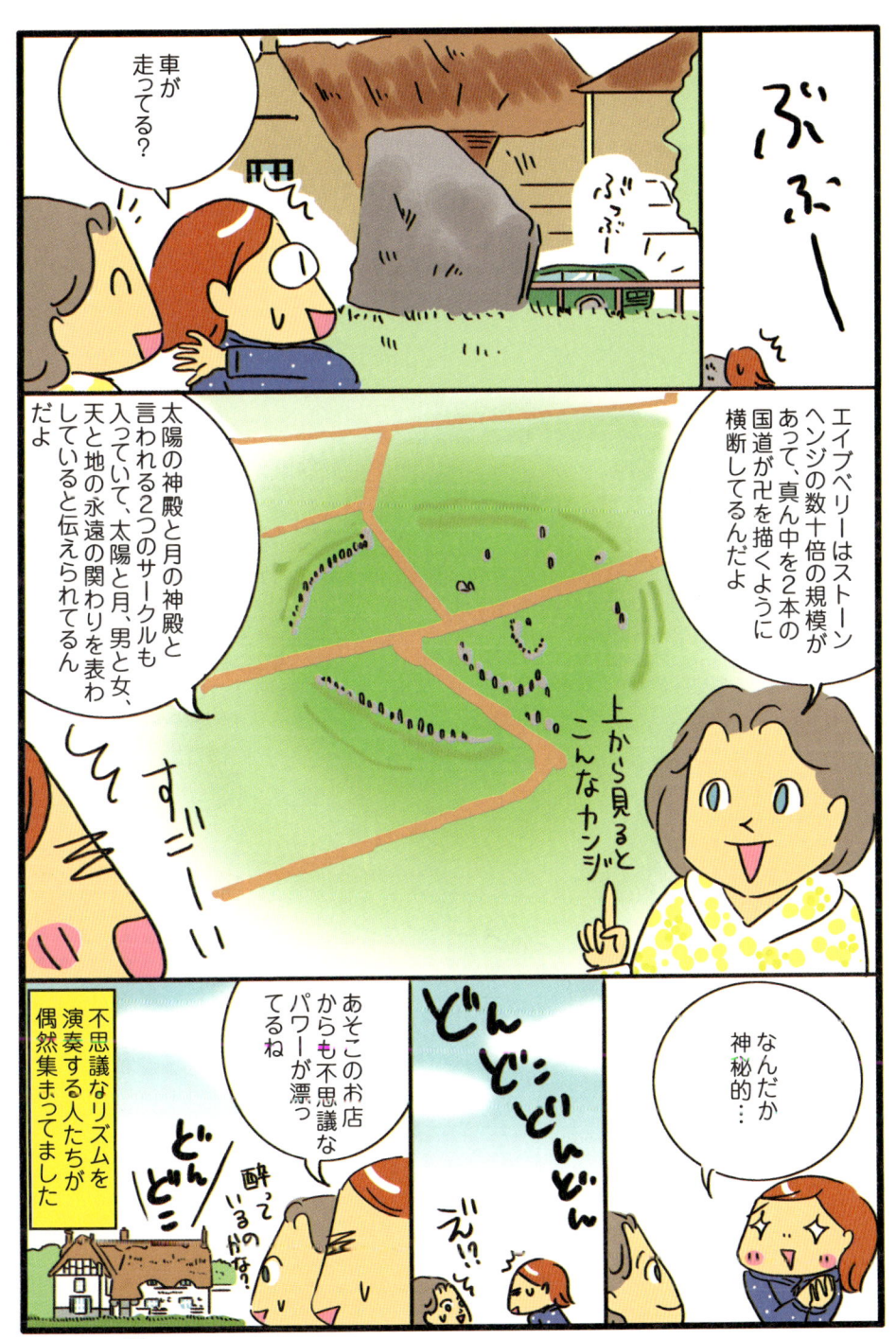

ぶっぶー

ぶっぶー

エイブベリーはストーンヘンジの数十倍の規模があって、真ん中を2本の国道が卍を描くように横断してるんだよ

太陽の神殿と月の神殿と言われる2つのサークルも入っていて、太陽と月、天と地の永遠の関わりを表わしているとも伝えられてるんだよ

上から見るとこんなカンジ

すっごーーい

なんだか神秘的…

どんどんどん

どんどこ

あそこのお店からも不思議なパワーが漂ってるね

酔っているのかな?

え!?

不思議なリズムを演奏する人たちが偶然集まってました

エイブベリー前には人気のパブがあります。

STONEHENGE
ストーンヘンジ

いにしえの時代からこの場所に佇む巨石たちは、大きな時の流れを感じさせます。世界遺産なので、写真は英国政府観光庁のものです♪

ケルトの文様が描かれたしおり！ストーンヘンジのギフトショップで発見！

ストーンヘンジの名物？ロックケーキ！まるでストーンヘンジの巨石のように、ゴツゴツっとして見えるけど中はさっくり！チョコレートの甘さとビスケットとスコーンの中間みたいな食感が絶妙！

いまだ謎に包まれた世界遺産のストーン・サークル「ストーンヘンジ」。ストーンヘンジから30kmほど離れた丘から運ばれたといわれるサーセン・ストーン（砂岩）と、ブルー・ストーン（玄武岩）からなる巨石は、高さ4〜5mもあり、最大で50tにもなる巨石も存在しています。とても人の手により造られたとは思えないストーンヘンジは、今も多くの謎に包まれているのです。

Stonehenge
ストーンヘンジ
住所 Off A344 Road, Amesbury, Wiltshire SP4 7DE
http://www.english-heritage.org.uk/daysout/properties/stonehenge/

AVEBURY
エイブベリー

©National Trust Images/James Dobson

もとは200個以上もあった立石群！(今は20個ほど)

ローズクオーツやアメジストなどパワーストーンのアクセサリーもエイブベリーで発見！

エイブベリーのギフトショップで見つけたヒーリング・クリスタル！陽の光にあてるとキレイな色に！

　ストーンヘンジの数十倍の規模を誇る英国最大級のストーン・サークル「エイブベリー」。直径400メートルを超える外周は、土手と深い堀で囲まれています。
　並ぶ立石のなかには、最大100t近い巨石も発見されています。このエイブベリーの周囲には、謎の人口丘シルベリー・ヒル、古墳もあり、「エイブベリーは、巨大な宗教センターであった」との説も信じられています。

Avebury
エイブベリー
住所 Avebury, Wiltshire SN8 1RF
http://www.nationaltrust.org.uk/avebury/

Lacock
中世の村にタイムスリップ

今回は元修道院も残る村レイコックにジュディと来ました

中世期そのままの姿を残す小さな村だよ

名前レイコが入ったレイコッグ

おとぎ話に出てきそうなカワイイ家がいっぱい♪

1800年以降に建てられた家はこの村には1軒もないんだって

彫刻みたいな門構えが…ここはお城?

すごい入り口

レイコック・アビーだよ1232年に建てられたんだよ

1232年?

800年近くも前から建ってるの?

スゴーイ

そう!元修道院なんだよ

ジャーン

ここは『ハリー・ポッター』の撮影場所になったことでも有名なんだよ

キレイ!

神聖な感じ

ここの回廊が『ハリー・ポッター』のホグワーツ魔法学校の撮影に使われたんだよ

どこからか賛美歌?が聴こえてきたよ

キレイ

本当だ 13世紀の修道院にタイムスリップしたみたいだね

この時はCDを流していたみたいです。

あれ？あそこに銅像が…

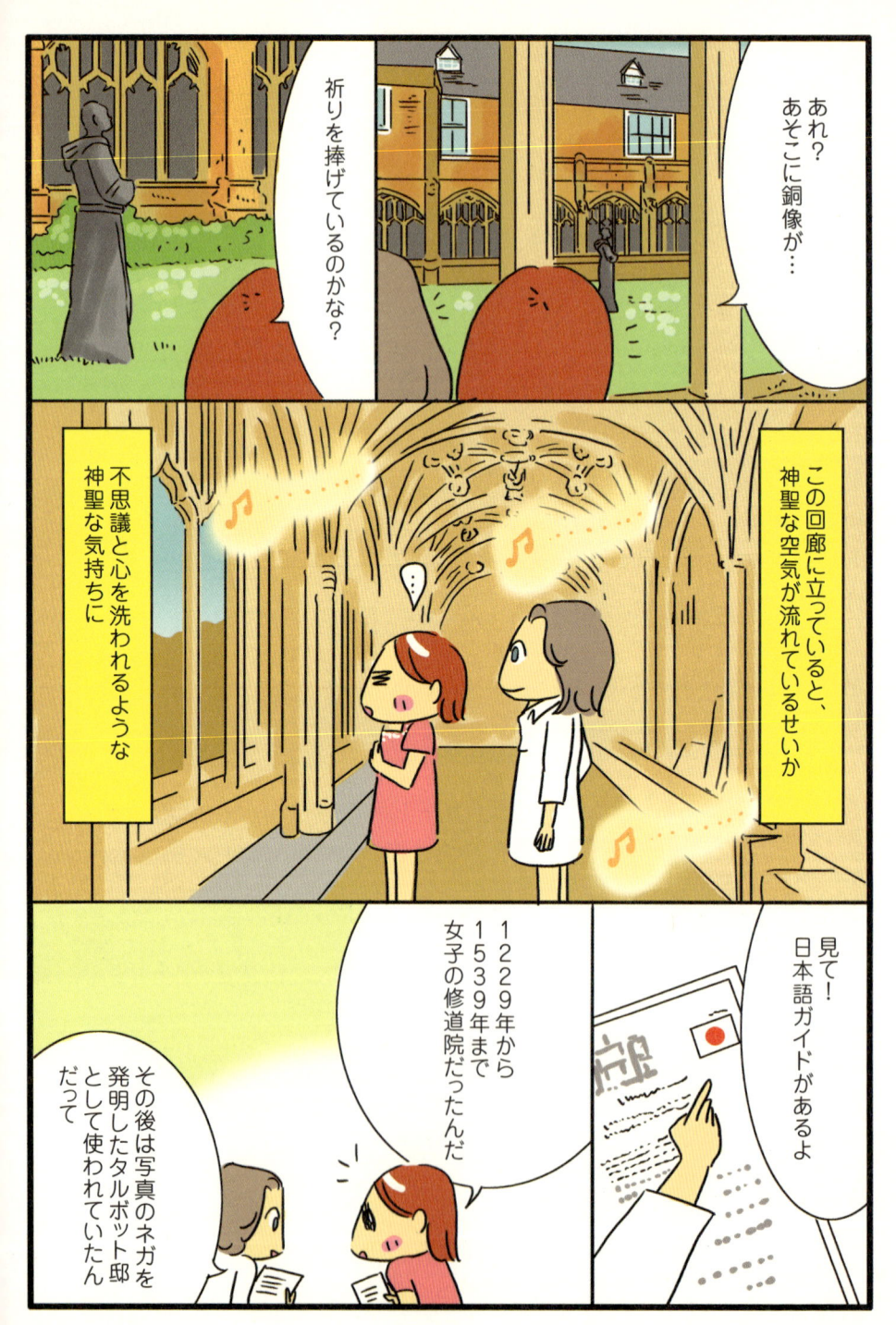

祈りを捧げているのかな？

この回廊に立っていると、神聖な空気が流れているせいか

不思議と心を洗われるような神聖な気持ちに

見て！日本語ガイドがあるよ

1229年から1539年まで女子の修道院だったんだ

その後は写真のネガを発明したタルボット邸として使われていたんだって

レイコック・アビー見学後

いろいろ見てたらお腹減っちゃった

じゃあ村で何か食べよう

この村どこも絵本の世界みたい…うっとり〜

わー パン屋さんカワイイ

イギリス文学の時代劇ドラマや映画のロケ地としても有名なんだって

このパブ人がいっぱい入ってる！

じゃあ入ってみよう

巨大な暖炉！ここも昔からあるのかな？

ハーイ

うちは1361年に始まった宿屋兼酒場だよ

1361年⁉

なにもかもが歴史の宝庫なんだね

食べたらいろいろ見てみよう♪

乙女の祈りが捧げられた修道院はじめ時が止まったような村レイコック聖なる気持ちになれる心に残る村でした

LACOCK
レイコック

館内の写真は英国政府観光庁からいただきました！

ハリー・ポッターの映画の撮影にも使われたレイコック・アビーの回廊!!
差し込む陽の光と影とのコントラストが美しい〜♥

えんとつやハチミツ色の壁…レイコックの村は絵本の世界!

中世にタイムスリップ気分!!

ジェーン・オースティンの作品 映画「プライドと偏見」、「エマ」もレイコックの村で撮影されたそうです!

Pride & Prejudice

ベーカリーオリジナルの自転車発見!!
カーワーイー♡
キャァァ

焼きたて焼き菓子の香りに包まれた村のベーカリー。
こじんまりした店内には目がハートになるスイーツがズラリ!

アンティーク雑貨屋さんも発見!!
バッファローの角みたいのが気になる…

ランチしたレイコックで最古のパブ
「ジョージ・イン」!アットホームな雰囲気!

中世の姿をそのままに残すレイコック。まるで村全体の時間が止まっているかのような、古き良き情緒あふれる空間が広がっています。なかでも13世紀に建てられた荘厳なレイコック・アビーは、修道院として長く使われた後、19世紀に近代写真技術の生みの親となったウィリアム・ヘンリー・フォックス・タルボットの住居となりました。最近では『ハリー・ポッター』の撮影場所としても有名。魔法をかけられたかのような村レイコック。中世にタイムスリップしたかのような幻想的なひとときが楽しめます。

Lacock Abbey
レイコック・アビー
住所 Lacock, near Chippenham, Wiltshire SN15 2LG
http://www.nationaltrust.org.uk/lacock

交通編

カンタン英会話

移動する時に使われる英会話フレーズです！使ってみてね♪

駅で切符売り場を聞くなら

Where can I buy a ticket?
切符はどこで買えますか？

往復の切符を買うなら

I'd like to buy a return ticket to Salisbury.
ソールズベリーまでの往復の切符を買いたいのですが

ポイント！
・白い部分を他の地名に差し替えれば他の場所にも行けます。
・片道のチケットは single ticket です。

駅で今から一番近い電車の出発時間を聞くなら

When does the next train go to Salisbury?
ソールズベリー行きの次の電車はいつ出発しますか？

駅員さんが答える例

10:30.
10時30分です

プラットフォームの番号を聞くなら

Which platform does the Salisbury train leave from?
ソールズベリー行きの電車はどのプラットフォームから出発しますか？

駅員さんが答える例

Platform 10.
プラットフォーム10番です

ポイント
・ロンドン郊外へ出る電車は本数が限られているので、時間を聞いておくのがオススメです。
・ロンドン郊外へ出る電車のプラットフォームはいくつもあるので、自分の乗る電車がどのプラットフォームから出発するのか聞いておきましょう。

5章で紹介した場所の地図

STONEHENGE
ストーンヘンジ

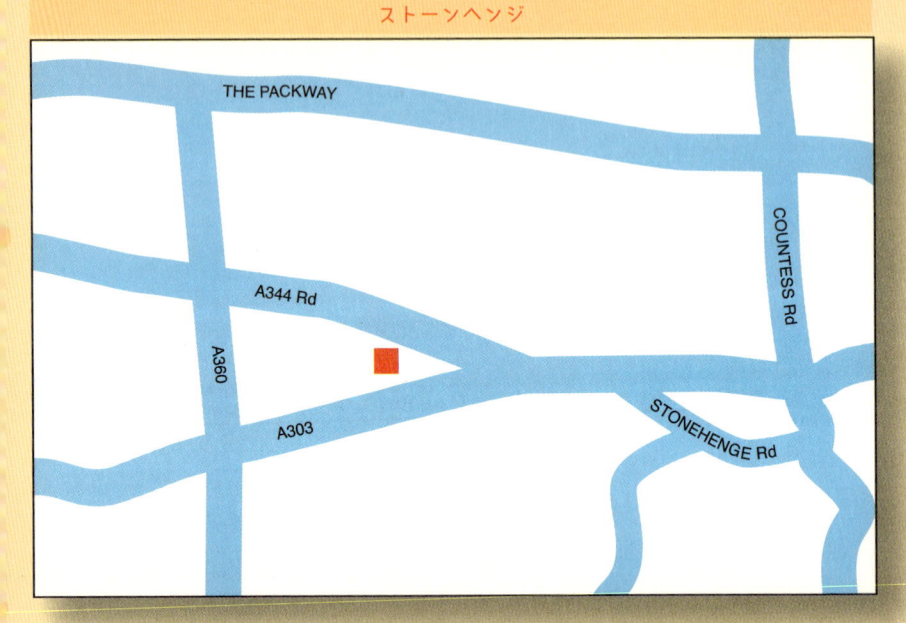

AVEBURY
エイブベリー

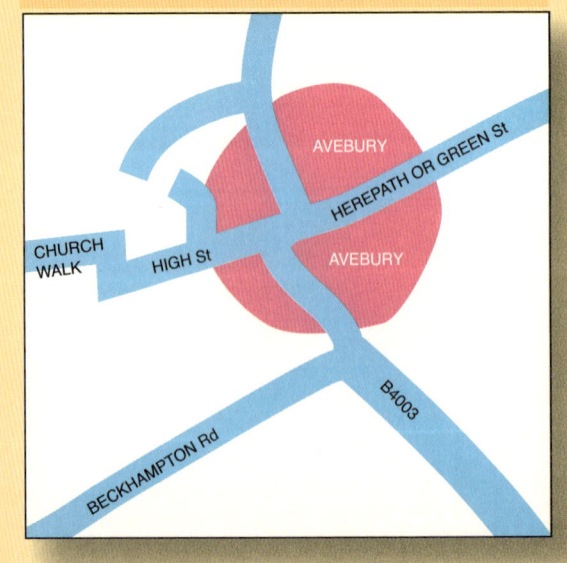

LACOCK ABBEY
レイコック・アビー

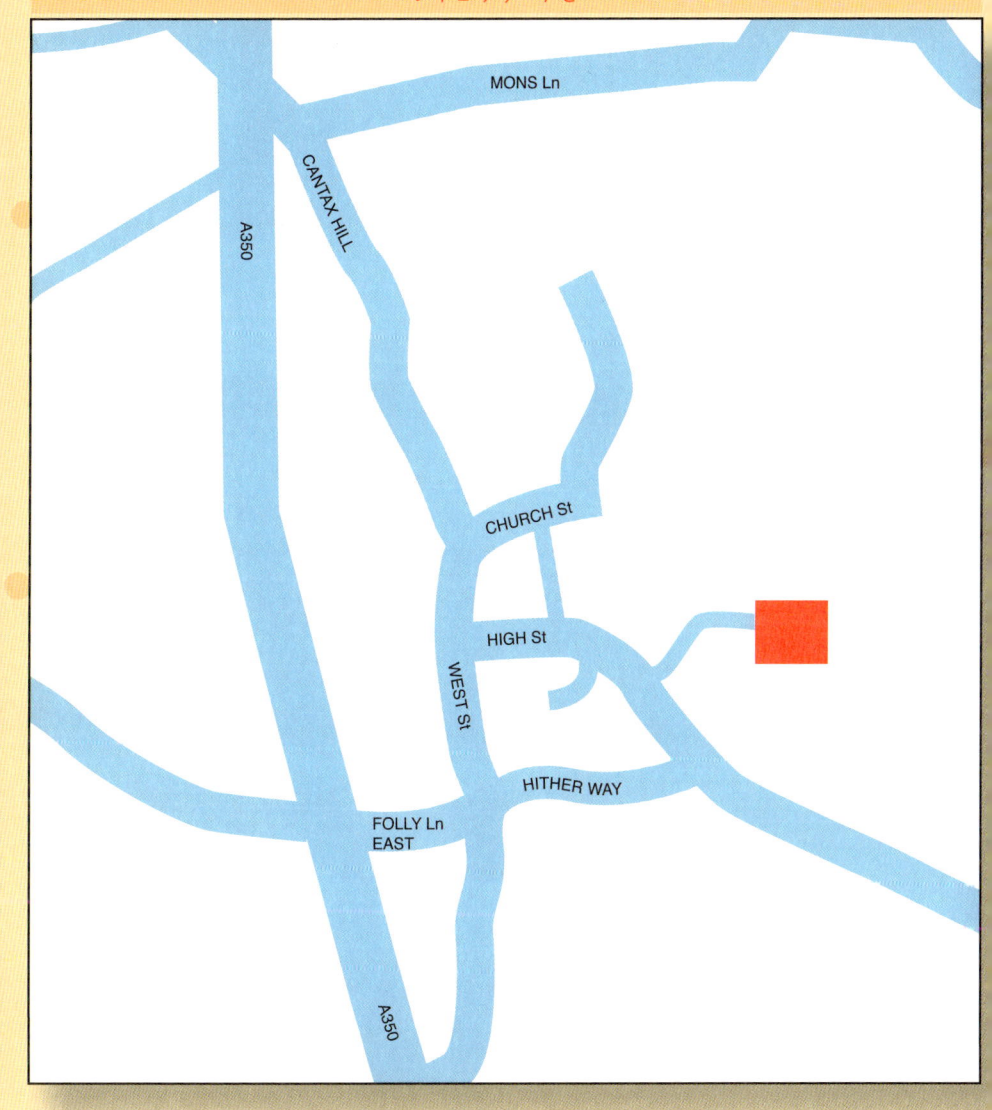

大自然で雄叫び

わああ！丘の上からの景色キレイ！

ヤッホー

こうゆう所に来ると世俗的なこと全部忘れるっス！

本当ーすごい芝生のみどりキレィー

え!?ローン!?借金!?

Look at ローン!

野外でローンの返済モメてるんッスかね

あの人今ローンって叫んだね

ペラペラペラ

こんな大自然で…

ローンはlawn、芝生の意味です。

第6章

自然の持つ力で心も体も
ヒーリング@ロンドン

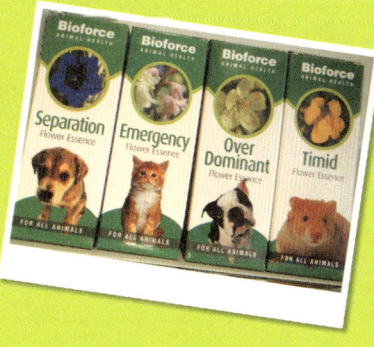

あれ？ジャクリーン水に何を入れてるの？
ポタ…
フラワーレメディよ
フラワーレメディ？
知らない？
フラワーレメディは心や感情のバランスを取り戻すための植物を使った自然療法なのよ
イギリスの医師エドワード・バッチ博士によって開発されたのよ
飲んでみる？
決められた少量を水に垂らして飲むのよ
ごく…
ドキドキ
どう？
ほわわ～ん
ほんのり甘くて飲みやすい！
なんかじんわり、ほんわか気分になってきた
それはチェリープラムのフラワーレメディよ緊張や不安を感じる時、落ち着かせてくれるって言われてるの
夕方、面接があって緊張してきちゃった

私はこのエモーショナル・イーティングキットを持ち歩いているのよ

クラブアップル、チェリープラム、チェストナッツのつぼみのフラワーレメディがセットになってるの

トラブルで動揺した時やパニックになった時

緊張を和らげるって言われてるのよ

花や植物の力が感情を和らげてくれるなんてはじめて聞いた…

おもしろい…

後日

あ！レイコ！

フラワーレメディが売ってるお店だよ

入ってみよーよ♡

え？お店？なにかのショールームかと思ってた

わぁ！すごい！これ何？

じゃーん

フラワーレメディだよ

いろんなタイプがあるんだね

これは何？レスト？

スプレー型のフラワーレメディよ

効能も違うんだよ

水に溶かすものやスプレーとか使い方もいろいろあるんだね

そうねイギリスではいろんなところで売ってるのよ

あれ？これは何？

オーガニックのスキンケアだよ

知らなかった

オーガニック？

最近よく聞く！

有機栽培から生まれたスキンケアだよ

オーガニックの自然派コスメは自然由来の成分を中心にしていて肌が本来持つ自然治癒力を助長させるって言われてるのよ

お肌に良さそう！このリップ・コンディショナーもいいな

マシュマロとバニラだって

ローズオイルもいい香り〜

このクリームのパッケージキレイ！

このお店のオリジナルだよ

HELIOS Graphites & Calendula CREAM
HELIOS Tea Tree CREAM

このティーツリーってハーブのスーッとする香りがする

ティーツリーって何だろう？

ティーツリーはオーストラリアのアボリジニも何千年もの間ケガの治療に使っていたと言われてる植物なのよ

Tea tree

あれ？これは何？

ホメオパシーっていう同種療法のレメディなの

なんだか新しいものがいっぱいすぎて覚えられない

じゃあまず気になるものから試してみる？

レメディ…ティーツリー…オーガニック…

そんなこんなでイギリスで浸透している自然の恵みをいろいろ楽しんだ一日でした

ホメオパシーのレメディとは、「超微量の法則」に基づき、植物などを高度に希釈し、小さな砂糖の玉にしみこませたもののことです。

HELIOS
ヘリオス

1930年代にイギリスの医師エドワード・バッチ博士によって生まれたレメディ

スプレータイプのフラワーレメディ。リラクゼーション向け！

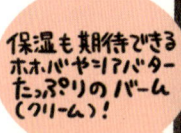

水に数滴たらして飲むフラワーエッセンス。口中に花のあまさがひろがります。

保湿も期待できるホホバヤシアバターたっぷりのバーム（クリーム）！

ボトルにオーガニック素材の割合が書かれているハーブファーマシーシリーズ。ローズ・フェイス・オイルは、高貴な香り！

顔からバラの香りが

動物用のフラワーエッセンスも発見！
犬、猫、ハムスター(?)まで、シチュエーション
別に選べます。

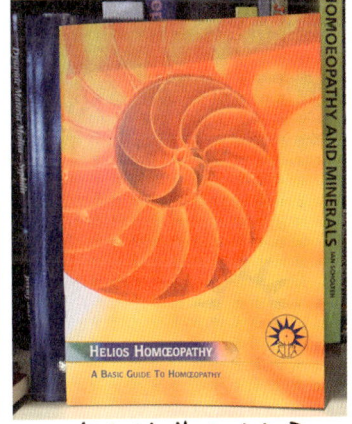

オーガニックのスキンケア・クリームの香りは
肌にはもちろん、心にも響くはず！
ティーツリーのクリームは心も浄化して
くれそうな香り♥

ホメオパシーも店内に並ぶ。200年以上前からある、
体の抵抗力、治癒力を高める代替療法と言われている。

ナチュラルな植物の恵み溢れるフラワーレメディはじめ、ピュアな美しさを引き出すオーガニックのスキンケアアイテム、そしてホメオパシーなど、心身の調和をとると言われているとっておきのアイテムがズラリ！犬や猫、ウサギなどのペット用のホメオパシーも並んでいます。店には質問すれば詳しく教えてくれるスタッフもいるので、気になるアイテムは気軽に質問してみるのもオススメ。リーズナブルな価格なのも嬉しい。

Helios
ヘリオス
住所 8, New Row Covent Garden, London WC2N 4LJ
http://www.helios.co.uk/

今回は花やハーブの恵みを
お茶で楽しむハーブティー
専門店カメリアズ・ティーへ
やってきました
入り口からして
カワイイ♡
CAMELLIA
どーーん
おじゃま
しまーす
わあすごい!
これ全部
ハーブティー?
わあ!
カフェもあるんだ!
乙女チックでカワイイ!
絵本の世界みたいッス!

棚に並んでるお茶の数ハンパないッスね
わぁ…
ステキー
ストレスティーだって！
疲れた体に効きそう～飲んでみたぁい！
Stress Tea
こっちはラヴァーズティーだって！恋愛に効くのかな？
Lover's Tea
ビューティフルスキンだって！今ダイエットしてるから、これで美肌もゲットッス！
Beautiful Skin
どれもステキすぎて迷うわぁ…
ゆっくり選んでいってね！デトックス（毒出し）効果も期待できるハーブティーもあるのよ
うちでブレンドしてるのよ
チーさんのために選んでくれてるッス
みんなによ!! みんなに

見て！これ薔薇のつぼみじゃない？花のつぼみもお茶で楽しめるんだ♪

本当だ！ローズバッズティーって書いてある

店内カフェでハーブティー注文できるんですか？

どれにしようかな～

もちろん！

お待たせしました

わぁいい香り！

ハピネスティー Happiness Tea

ローズバッズティー Rose buds Tea

キューピッドデライトティー Cupid delight tea

ほんわか……ん

ごくり…

優しいほのかな花の香りが口に広がってすんごい和(なご)む〜

体もほっかりする…

体内がキレイに浄化された気分〜

うんうん

前にハーブに詳しいイギリス人の友達から、ハーブの歴史は紀元前3000年から続いてるって聞いたことあるッス!

その頃は儀式に使ったり、薬草として使っていたみたいッス!

私もイギリスでハーブの精油を使ったアロマテラピーをやってる友達が多いのよ〜ハーブを生活に取り入れるのがイギリスでは当たり前って感じみたい

あっ!大変ッス!

カタッ

何...?

Menu

ここアフタヌーンティーがあるッス!

まゆポタさっきダイエットしてるって…

え?

としたらハーブティー飲みます

アフタヌーンティー一丁フリーズ!

女子3人それぞれの欲求も満たしてくれるハーブティー!オススメです

CAMELLIA'S TEA HOUSE
カメリアズ・ティーハウス

リラックス&美容効果が期待できるハーブティーがズラリ！

バラのつぼみのハーブティーはギフトにもピッタリ！

自然なヒーリングパワーもあると言われるハーブティーは、香りを嗅ぐだけでも、五感を刺激するとか…

リンゴやベリーなどフルーツティーも人気！

シンプルながらもクセになる
ヴィクトリア・スポンジ・ケーキ

ティーポットはじめ茶器もそろう！

思いっきりロマンティックなアフタヌーンティー

クラシックなテイストが入ったおしゃれな店内

優雅な香りに包まれた店内には、五感に響くバラエティ豊かなお茶が壁一面にズラリと並ぶ。症状に合わせてブレンドされた、オリジナルのハーブティーは、体内をクレンジングし、美容にも効果的とリピーターが多いとか。日本でもおなじみのアール・グレイティーにオレンジの香りで丸みをつけた、「アール・グレイ・オレンジ & ティー・ブロッサム」など、紅茶の本場イギリスならではの、アクセントが効いたお茶も揃っています。自然の恵みをお茶で取り入れるハーブティーで心身の浄化にトライ♪

Camellia's Tea House
カメリアズ・ティーハウス
住所 Top Floor 2.12 Kingly Court
Carnaby Street, London W1B 5PW
http://www.camelliasteahouse.com/

他にもオススメ！心も体も癒やされるとっておきスポット！

SESAME
セサミ

やさしい色合いで統一された店内には、オーガニックフードはもちろん、ハーブティー、グルテンフリーの食品までが、ズラリと並ぶ。日本食もあり！ナチュラルなスキンケアグッズも豊富。自然の力で心も体も癒やされてみては？

心もイキもほっと癒やされるハーブティーがズラリ！

オーナーに愛されて選ばれたアイテムばかり。人にも環境にもやさしいエコアイテムも！

ウッディーなインテリアの中に、ナチュラルなアイテムがいっぱい

| SESAME セサミ | 住所 128 Regent's Park Road, London NW1 8XL |

MILDREDS
ミルドレッズ

見た目も美しく、野菜のおいしさを存分に味わえるレストラン。古くは紀元前から始まっていたという菜食主義。ベジタリアン先進国のイギリスで是非お試しあれ♪

食物酵素たっぷりのスローフードで体内の代謝率をアップ！

ミントブルーのスタイリッシュな外観が目印！

フルーツたっぷりのスムージーもフレッシュでおいしいよ

| MILDREDS ミルドレッズ | 住所 45 Lexington Street, London W1F 9AN
http://www.mildreds.co.uk/ |

Neal's Yard Salad Bar
ニールズヤード・サラダバー

アロマテラピーのショップ「ニールズヤード」。その一角にあるレストランでは、野菜料理を中心に、サラダ、スープ、リゾットなどが人気。天気の良い日には、オープン・エリアのテラス席がオススメ！

思いっきりスイートなパステルカラーのストリート！歩くだけでハッピーモードに♡
カーワーイー

ニールズヤードのカフェはカラフルな外観が印象的！オープンテラス＆2階で食事可能！

Neal's Yard Salad Bar ニールズヤード・サラダバー	住所 1, 2, 8-10 Neal's Yard, London WC2H 9DP http://nealsyardsaladbar.com/

TIBITS
ティビッツ

太陽の恵みを存分に生かした、35種類に及ぶ惣菜やデザートの数々が並ぶベジタリアンカフェ。重さによって会計が決まるシステム。

都会の中とは思えない静かなロケーション！リゾート気分で楽しめる！

フードボートに並ぶブュッフェスタイルのベジタリアンメニュー。体と環境にやさしい旬の食材！

お好みで選べるセルフサービス

TIBITS ティビッツ	住所 12-14 Heddon Street off Regent Street, London W1B 4DA http://www.tibits.co.uk/e/

カンタン英会話

ショッピング編

ショッピングの時に使われる英会話フレーズです！使ってみてね♪

店員さんがこう聞いてきたら

Are you OK?
大丈夫ですか？

I'm just browsing.
見ているだけです

148

Where is the changing room?
試着室はどこですか？

試着するなら
Can I try this on?
試着して良いですか？

価格を聞くなら
How much is this?
これはいくらですか？

購入するなら
I'll take this.
これください

6章で紹介した場所の地図

Helios
ヘリオス

Camellia's Tea House
カメリアズ・ティーハウス

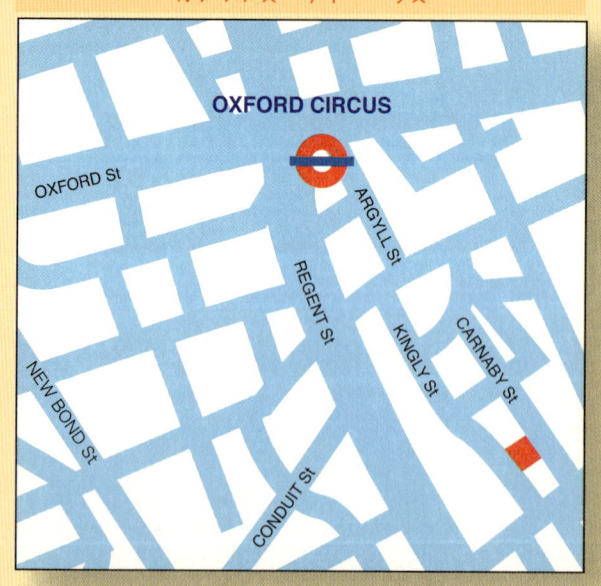

青字で書かれた名前は最寄り駅名。
■ はその場所です。

MILDREDS
ミルドレッズ

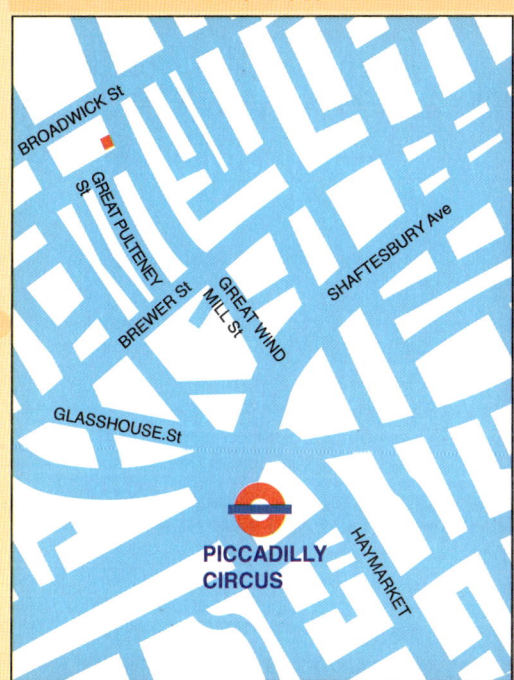

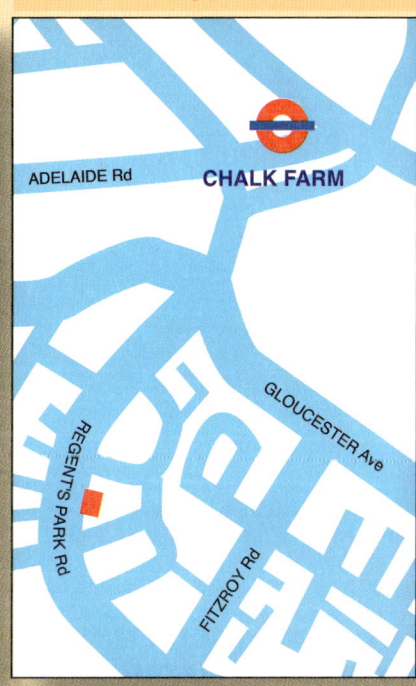

SESAME
セサミ

TIBITS
ティビッツ

Neal's Yard Salad Bar
ニールズヤード・サラダバー

151

おみやげ図鑑

いろいろめぐって見つけた
おみやげアイテムです♪

ケルトのマジック・カラー
チェンジ・ムード・ネックレス！
小さくってカワイイので、
使いやすいアクセサリー

グラストンベリーで見つけた指輪ケルト・マジック・ムードストーン。気分に合わせて色が変わる。

青色はリラックス色

こんなふうに気持ちが現れます

あいつってまゆゆのまゆポタのだったの？！
ギクッ
私のおやつ知らない！？

心中がバレるのが難点？

エイブベリーの
大自然から生まれた
はちみつは、パンに塗って
食べます♪

はむっ

エイブベリーのはちみつも発見！

エイブベリーのギフトショップで
購入したチェリーのブランデー。
フルーティな甘さが後をひく♡

152

パステルカラーの天使キャンドル。
頭に火をつけるのが申し訳なく…
オブジェとなってます。

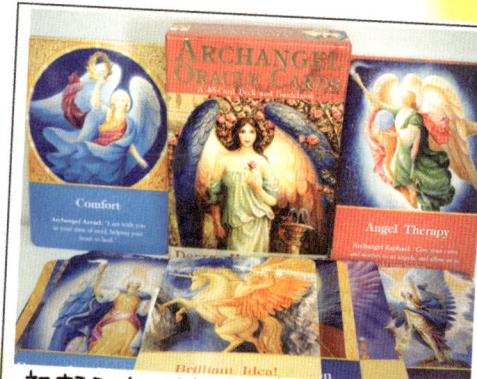

初オラクルカードをゲット！と言っても詳しくないので
キレイな天使のイラストに惹かれてチョイス！
フェミニンで神話のような世界にうっとり

植物がくれる香りのエナジー
アロマテラピーセットも並んで
いたので、はじめてみたくなりました

集中力アップ！の
レメディ ♡

火をつけてたかなくても
ふたを開けただけで
香りが溢れだする香！

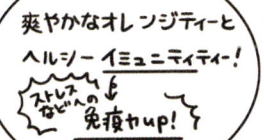

爽やかなオレンジティーと
ヘルシー イミュニティー！
ストレスなどへの
免疫力up！

ハーブと
フルーツの
エナジーで
健康に!!

ライムフラワーやカモミール入りの
スターチャイルドのドリームティー

おわりに

わぁ…キレイな夕日

またね〜

気をつけてね〜

パワースポットめぐりの帰りに

今回は不思議な出会いや発見がいろいろあったなぁ〜

イギリスの神秘な占いや魔法グッズめぐり

おとぎの世界のスイーツやいわくつきの焼き菓子

異次元への入り口パワースポット礼賛

夜の異空間でタイムスリップ体験

古代から伝わる謎のベールに包まれたストーンサークル

心洗われる聖なる中世の村探訪

イギリスの大地が育んだハーブやレメディ体験

イギリスってこんなに近代化された国なのに、神秘や伝説が、古代の遺物と共に、現代と共存していて、不思議な所だなあ…

でも、まだまだ摩訶（まか）不思議な場所がたくさんあるんだよなあ

ここも行きたかった

神秘なこの国を、これからもいろいろめぐれたらいいなあ♪

まだまだ奥が深い不思議な国イギリス。謎や神秘の発見はこれからも続きそうです

あとがき

最後までお読みいただき、ありがとうございました！

当初は、ただ純粋に「ロンドン、イギリスのパワースポットに行って癒やされたい♪」という思いから始めた旅でしたが、興味を持って探訪すればするほど、その摩訶(まか)不思議さ、ナゾめいた神秘性は深まるばかり。

加えて今回は、ミステリー小説の聖地や、大都会ロンドンに何百年もの時を超えてたたずむパブなど、別世界にトリップできる、イギリスならではのスポットも取り入れて紹介しました。

いまだに説明がつかない太古の遺跡、雄大な星空を読み解く占星術、そして何代にも渡って愛され続けるファンタジーの世界が、今も日常に息づくイギリス。

魔法や妖精伝説など、信じるかどうかは、その人の解釈次第なのですが、そんな

摩訶(まか)不思議な世界が人々にすんなり受け入れられて、すぐそばに存在しているなんて、とってもおもしろいと思いませんか？ 探訪すればするほど、虜(とりこ)になってしまいそうです♪

本書の制作にあたっては、取材先の皆様はじめ、多くの方々にご協力をいただきました。この場を借りて御礼を申し上げます。そして本書を出版する機会を与えてくださったアスキー・メディアワークスの皆様に心から感謝申し上げます。そして、この本を手に取ってくださった皆様にも、「本当に本当にありがとうございます！」と、お伝えしたく思います。

不思議あふれる旅めぐりのアレコレが、皆様の日々を楽しく彩(いろど)りますように♪

2012年8月　木内麗子

神秘なロンドンめぐり
英国スピリチュアル&パワースポット食べ歩き！

2012 年 8 月 10 日　初版発行

著　者	木内麗子
発行者	塚田正晃
発行所	株式会社アスキー・メディアワークス
	〒102-8584　東京都千代田区富士見 1-8-19
	電話 0570-064008（編集）
発売元	株式会社角川グループパブリッシング
	〒102-8177　東京都千代田区富士見 2-13-3
	電話 03-3238-8605（営業）
印刷・製本	三共グラフィック株式会社

本書は、法令に定めのある場合を除き、複製・複写することはできません。
また、本書のスキャン、電子データ化等の無断複製は、著作権法上での例外を除き、禁じられています。
代行業者等の第三者に依頼して本書のスキャン、電子データ化等をおこなうことは、私的使用の目的であっても認められておらず、著作権法に違反します。
落丁・乱丁本はお取り替えいたします。
購入された書店名を明記して、株式会社アスキー・メディアワークス生産管理部あてにお送りください。
送料小社負担にてお取り替えいたします。
但し、古書店で本書を購入されている場合はお取り替えできません。
定価はカバーに表示してあります。
なお、本書に関して、記述・収録内容を超えるご質問にはお答えできませんので、ご了承ください。

ISBN978-4-04-886974-4　C0095
©2012 Reiko Kiuchi　©2012 ASCII MEDIA WORKS　　　Printed in Japan

小社ホームページ　http://asciimw.jp/

写真	木内麗子、英国政府観光庁（P.111、P.120、P.126、帯の一部）、
	©National Trust Images/David Sellman ©National Trust Images/Fay Godwin（P.73）、
	©National Trust Images/James Dobson（P.121）
デザイン	みぞぐちまいこ（株式会社ムシカゴグラフィクス）
編集	第 9 編集部第 2 書籍課　工藤裕一、丸岡 巧
営業	篠原令和
宣伝	矢口泰之、佐々木衆五郎
生産管理	藤原 保

木内麗子ホームページ：http://www.yougaku.jp/
編集者ブログ：http://www.asciibook.com/
編集者 Twitter：digi_neko

マルチーズがやってきた!

木内麗子の癒やし系コミックエッセイ♪

小犬2匹と暮らすとどうなる?

小犬2匹が巻き起こす、かわいい事件の数々。
ふんわり、あったかな笑いをお届けします。

カワイイ写真もてんこもり!

定価 1,000円
ISBN 978-4-04-870937-8

木内麗子 著
発行:アスキー・メディアワークス
発売:角川グループパブリッシング
※定価は税込(5%)です。

めめちゃん
甘え上手で食いしん坊。
沖縄出身の豪快な女の子。

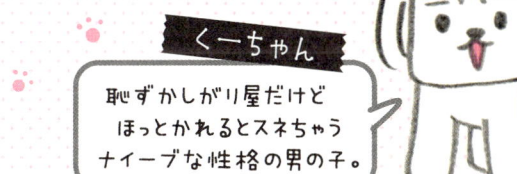

くーちゃん
恥ずかしがり屋だけど
ほっとかれるとスネちゃう
ナイーブな性格の男の子。

食事は
ネコと共用の皿で!?
もしも同居人が
ドラッガー(薬中)だったら!?

気を遣わないでね
シンジ

遣ってくれー！！

留学の実態がわかる！ 実録コミックエッセイ

留学のほえづら

もう笑うしかない！
海外留学生22人の泣きっつら体験

沼越康則 & ふじいまさこ 著

定価 1,000円 ISBN 978-4-04-886439-8
発行：アスキー・メディアワークス
発売：角川グループパブリッシング
※定価は税込（5％）です。

海外留学って、ホームステイって、
自由でステキであたたかいもの
……って、そんなの幻想!?
元留学生が語る仰天エピソード満載。
お役立ち留学コラムも充実！